문학으로 읽는

조 용 필

문학으로 읽는 조용필

2021년 1월 29일 초판 1쇄 발행
2021년 3월 17일 초판 2쇄 발행

지은이 | 유성호
펴낸이 | 孫貞順
펴낸곳 | 도서출판 작가
        (03756) 서울 서대문구 북아현로6길 50
        전화 | 02)365-8111~2 팩스 | 02)365-8110
        이메일 | morebook@naver.com
        홈페이지 | www.morebook.co.kr
        등록번호 | 제13-630호(2000. 2. 9.)

편집 | 손희 양진호 설재원
디자인 | 오경은 박근영
영업 | 박영민
관리 | 이용승

ISBN 979-11-90566-21-6 03800

* 이 도서는 한국출판문화산업진흥원의 '2020년 출판콘텐츠 창작 지원
  사업'의 일환으로 국민체육진흥기금을 지원받아 제작되었습니다.

* 이 책의 사진은 YPC 프로덕션에서 제공받았으며, 이 사진의 모든
  저작권은 YPC 프로덕션에 있습니다.

값 12,000원

문학으로 읽는

조 용 필

유성호 지음

작가

조용필(趙容弼)의 노래는 한국인이면 저마다 자신의 취향이나 처지에 맞게 불러본 경험이 있을 것이다. 선호도나 향유의 빈도에서 차이가 날지언정 그의 노래 한 소절이 삶에 전혀 개입하지 않은 사람들은 퍽 드물 것이다. 물론 지금 청년 세대에게는 오히려 낯선 전설로 다가오기도 하겠지만 적어도 전(全) 세대에 어필하면서 지금도 선명한 기억을 가지고 있는 유일한 가인(歌人)이 조용필이라는 데 이의를 달기는 어려울 것이다. 특별히 우리 세대에 조용필의 위상은 단연 압도적이다. 직접 마주치면 '조용필 선생님!' 하고 부를 수밖에 없는 나이 차이에도 불구하고 마치 같은 세대처럼 그를 느끼는 것은 비단 이 글을 쓰고 있는 나만이 아닐 것이다.

이 글은 바로 그 노래의 최종 텍스트가 조용필 자신이라는 전제 아래 그와 그의 노래를 '문학'으로 읽어보려는 시도이다. 그의 노랫말은 여러 사람이 지어서 조용필에게 주기도 했고, 그 스스로 지은 것도 제법 된다. 이 글에서는 그 노랫말들의 최종적 입법자이자 귀결점이 바로 그것을 해석하고 소통해낸 조용필 자신임을 증명하려 하였다. 오래도록 품었던 간절한 꿈을, 비록 짧은 분량과 부족한 해석에도 불구하고 이루어낸 오늘은 내게 참으로 값지고 벅차다. 그의 노래를 따라 오랜 기억을 거슬러오르는 꿈을 꾼 지 꽤 오래되었는데, 이제 그의 표정과 심장과 목소리가 들려주는 울림과 떨림을 사랑했던 기억을 소환하여 그의 노래를 활자 안으로 담아냈으니까 말이다.

기억이란 기록으로 몸을 바꾸기 이전의 어떤 상(像)이다. 그것이 발화의 순간을 얻으면 기록이 되고 그 기회가 주어지지 않으면 누군가의 마음에만 남는 개인적 침전물이 되고 만다. 사람들은 자신이 가장 선명하게 기억하는 어떤 시기가 따로 있는 법인데 그것을 일러 그 사람의 '시대'라고 부를 수 있을 것이다. 그렇다면 우리의 시대는 언제였을까? 어떤 시간이 과연 우리의 시대였을까? 그 '시대'에 대한 기억이 발화의 순간을 얻으면 그것은 그대로 '기억의 문화사'라는 기록이 되어 여러 사람의 기억에 또렷한 점화의 순간을 가져다줄 것이다. 이 글은 그러한 문화사가 되기를 소망했다.

이 글은 조용필의 흡인력이 가창력, 무대 매너, 정확한 가사 전달력, 다양한 장르 수용 능력, 노래마다 달라지는 해석력에 있다고 보았다. 이 모든 것을 관통하는 그의 노래를 '위안의 미학'으로 명명하였다. 그리고 조용필의 노래 전체를 통틀어 기원이 되는 노래로 〈고추잠자리〉와 〈못 찾겠다 꾀꼬리〉를 지목하였다. '고추잠자리'나 '술래잡기'라는 유년의 기억으로 구성된 그의 이 작품들은 그의 노래가 잃어버린 세계를 탐색해가는 서정적 탈환의 예술이요 가장 아름다웠던 세계를 재현해가는 외롭고 높고 쓸쓸한 '시(詩)'였음을 알려주었다. 조용필은 그 기원에서 발원하여 나를, 타인을, 인생을 궁극적으로 긍정하게 만들면서 온몸을 쥐어짜는 정성스런 목소리로 시대를 끌어안는 힘을 보여주었다. 웃음과 눈물 사이의 이 폭넓은 스펙트럼은 어떤 충동을 부추기거나 무언가를 가르치거나 울음을 강요하지 않았다. 이처럼 그의 노래는 지금도 '코로나19'와 싸우는 우리에게 깊은 위안과 치유와 공감과 긍정을 가져다줄 것이다.

끝으로 나는 조용필을 미국의 전설적 가수 '밥 딜런' 이상으로 보았다. 밥 딜런에게 1960년대는 조용필에게 1980년대였다. 그의 원적이 〈고추잠자리〉와 〈못 찾겠다 꾀꼬리〉였음은 이미 강조한 바 있거니와, 그의 노래는 아름다운 세계를 불가능하게 하는 가혹한 현실에 대해, 노래가 어떻게 예술적 저항의 목소리를 보여줄 수 있는지를 선명하게 보여주었다. 그렇게 조용필은 위안의 미학과 그 '너머(beyond)'를 상상하고 실천해온 우리 시대의 가왕(歌王)이다.

결국 조용필은 우리 시대가 마주한 여러 역사적 사건들 앞에 누구보다도 상징적인 노래들을 배치함으로써 자신의 생애가 시대의 거인으로서의 풍모를 드러낼 수 있도록 스스로를 배려하고 또 이끌어갔다. 이는 우리가 보듬어야 할 조용필의 참된 미학적 의미일 것이다. 그는 가수의 '정점'이자 가수 '이상(以上)'이었고, 우리 시대를 끌어안고 넘어선 일세의 '상가수(上歌手)'였던 셈이다.

이제 그에 대한 가없는 흠모와 사랑과 기억의 힘으로, 이 조그마한 책을 '나의 조용필'에게 바치고 싶다.

2021년 벽두에
행당동 연구실에서
유성호

차
례

프롤로그 : 그를 향한 오래된 꿈

일편단심의 꿈

사실, 간절한 꿈이었다. 그의 노래 가운데 〈꿈〉이라는 것이 있지만, 그의 노래를 따라 저 오랜 기억들을 거슬러오르는 '꿈'을 꾼 지 제법 오래되었다. 대학 선생이 되고부터 종종 나는 "내 꿈은 조용필 평전을 쓰는 것이다."라고 말했고, 의욕 넘치는 선생의 '꿈'에 대해 90년대 학번 학생들은 놀라움을, 2000년대 학번들은 의아함을, 10년대 학번들은 대체로 무관심을 보였다. 그의 노래 〈일편단심 민들레야〉처럼, 정말 일편단심으로 그의 노래를 여기까지 따라왔다. 가사를 거의 전부 외워 불렀고, 그가 남긴 순간의 표정을 기억했고, 그의 심장과 목소리가 들려주는 울림과 떨림을 사랑했으니, 그의 노래를 활자 속으로 담아가는 것이 전혀 불가능하거나 부적절하지는 않을 것이다.

평전

그런데 그의 평전이 벌써 나와 있었다. 조용필 데뷔 50주년을 맞아 구자형 작가가 『음악과 자유가 선택한 조용필』(푸른산, 2018)이라는 평전 형식의 책을 출간한 것이다. 이로써 우리는 대중음악의 역사와 장르에 내공이 깊은 저자의 식견과 해석을 통해 조용필 음악의 기원과 실질을 들여다볼 수 있게 되었다. 특별히 이 책은 조용필이 락, 블루스, 트롯, 팝, 국악, 댄스 같은 거의 전 장르의 음악을 소화한 거장이었다는 점을 선명하게 해석하면서 조용필을 이해하고 기록해가는 데 큰 지남(指南)의 역할을 할 것으로 보인다. 대중가요 전문작가로서의 경험적 특장을 최대치로 끌어올린 이 저서를 통해 우리는 조용필의 삶과 음악적 본령을 깊이 이해할 수 있게 된 것이다.

하지만 이 책의 등장이 오랫동안 꿈꾸어왔던 조용필에 대한 나의 글쓰기 충동을 지우지는 못했다. 그건 애초부터 내가 음악적 접근을 하려 했던 것이 아니었기 때문일 것이다. 사실 나는 오래 전부터 '시인 조용필'이라는 의외로운 제목으로 그의 노래와 인생을 풀어보려는 생각을 했다. 벌써 30년 저편의 일이다. 이 구상은, 조용필의 노래를 음악적으로 분석하지 않고(못하고), 그 노랫말과 장르의 결속 과정, 그것을 소화해내는 조용필의 음색과 표정 그리고 그 노래들이 불렸던 시대의 수용적 측면을 아울러 살핌으로써(기억함으로써), 그의 노래가 더없이 살갑고 첨예하며 문제적인 당대의 '시(詩)'였음을 이야기해보려는 것이다. 이때 '시인'이라는 명칭은 물론 비유적 용법이지만, 또한 '시'의 귀족적이고 폐쇄적인 범주를 넘어서려는 의도를 함축하고 있기도 하다. 그것은 노래로 불려온 시, 끝없이 사람들에게 위안을 주고 또 기억의 욕망을 불러 일으켜온 그의 노래가 문학의 정점으로 이해되기를 바라는 마음에서 나온 것이다.

1980년 전후

조용필을 생각할 때마다 1980년이 떠오르지 않을 수 없다. 그 이전 그는 〈돌아와요 부산항에〉를 히트시키면서 이미 국민적인 인기 가수의 반열에 올랐다. 누구보다 현란한 기량을 가진 기타 연주자였던 조용필은, 허스키한 목소리로 깊이 있는 음감을 창출하는 가수로 알려지기 시작한 것이다. 1970년대 후반에 종로나 광화문의 레코드 숍에서 그의 〈돌아오지 않는 강〉이나 〈정〉, 〈너무 짧아요〉, 〈생각이 나네〉가 흘러나오면 가사를 정확하게 외워 따라 불렀던 시절이 삽화처럼 선명하다. "이제는 모두 사라진 후회 없는 추억들 철없이 좋아하던 가시내의 첫 사랑"이 언젠가 내게도 올 것만 같던 시절, 조용필은 대마초 경력이 문제가 되어 전격적으로 방송 금지를 당했다.

그 후 그는 10·26사건이 일어나기 전까지 기나긴 동면 상태로 들어갔고, 그의 20대 후반은 그렇게 음악에 대한 욕망과 그것을 허락하지 않는 제도적 금기 사이에서 처연하게 흘러갔을 것이다.

그러다가 해금 직후 낸 첫 정규 앨범 『창밖의 여자』는 그야말로 공전의 히트를 치면서 1980년 한 해를 "누가 사랑을 아름답다 했는가"의 해로 만들었고, 급기야는 1980년대 전체를 조용필의 것으로 만들어버렸다. 얼마 전 개봉한 영화 〈택시운전사〉에서는 첫 장면에 주인공 송강호가 〈단발머리〉를 부르면서 독립문 고가차도를 운전하는 장면이 나온다. 물론 감독은 그때가 5·18 광주민주화운동 직전이라는 점을 알려주기 위해 택시운전사로 하여금 그 노래를 흥얼거리게끔 했을 것이다. 하지만 이 장면은 정확하게 그때가 '1980년'임을 알려주면서 동시에 이 노래가 그때 얼마나 많은 사람들이 사랑한 애창곡이었는가를 동시에 보여준다. 그 점에서 조용필과 그의 노래는 적어도 대중가요를 통해 1980년대 전후를 보여주는 투명하기 그지없는 '창(窓)'일 수 있을 것이다.

나는 가수다

조용필은 1950년 3월 21일 경기도 화성에서 태어났다. 어렸을 때 나는 화성이 조용필의 고향이요 차범근의 고향이라고 기억했다. 요즘은 한국 근대문학 초창기를 열었던 홍사용 시인을 기리는 문학관이 들어서 있고, 가끔씩 가서 "나는 왕이로소이다"를 읊조리기도 하지만, 여전히 내게 화성은 조용필이 단연 "왕이로소이다"인 곳이다. 그의 생가는 지금 어떻게 되었을까? 어쨌든 화성은 조용필 삶의 첫 장(章)일 것이다. 그리고 가장 최근의 조용필 영상은 데뷔 50주년 순회 콘서트를 통해서 새겨졌다. 하지만 2019년 4월 남북 예술 합동 공연을 마친 우리 공연단 구성원 가운데 그가 있었다는 것도 기억에 값한다. 적지 않은 나이에 그는 커다란 일을 마다하지 않았고, 평양에 두 번째 가서 자신이 왜 큰 인물인가를 세상에 선명하게 보여주었다. 누군가 붙였는지 모르지만 언제부터인가 '가왕(歌王)'이라고 불리는 남쪽 최고의 가수가 북쪽 시민들에게 〈꿈〉을 들려주고 〈친구여〉를 건넬 때, 그 파장은 다른 여느 예술인들보다 훨씬 컸을 것이다. 일찍이 '나는 가수다'라는 프로그램이 있었지만, 그는 그야말로 "나는 가수다"라고 가장 당당하게 말할 수 있는 우리나라의 으뜸 사례가 아닌가.

위안의 미학

조용필의 흡인력은 어디에 그 비밀이 있을까. 말할 것도 없이 그만의 가창력, 무대 매너, 정확한 가사 전달력, 다양한 장르 수용 능력, 노래마다 달라지는 해석력 등을 꼽지 않을 수 없다. 그런데 조용필의 노래를 생각할 때마다 한 가지 이채로운 것은, 1970~80년대에 대중들의 인기를 얻은 가수들의 노래에서 간혹 발견되는 이른바 '메시지'가 그의 노래에는 특별히 없다는 점이다. 그는 신중현, 김민기, 송창식, 한대수, 정태춘, 하덕규 등이 간혹 들려주었던 시대적 질고에 대한 정치적 메시지를 전혀 노래하지 않았다. 다만 그는 〈한 오백 년〉이나 〈강원도 아리랑〉처럼 고전적으로 가거나, 〈고추잠자리〉처럼 은유적으로 가거나, 〈친구여〉처럼 원형적으로 가거나, 〈킬리만자로의 표범〉처럼 인생론적으로 가거나, 〈꿈〉처럼 동시대의 현실을 노래하면서도 가장 감각적인 공감 형식으로 갔을 뿐이다. 물론 〈여행을 떠나요〉처럼 신나는 노래나 〈미워 미워 미워〉나 〈그 겨울의 찻집〉 같은 사랑 노래가 조용필 인기 비밀의 근원적 저류(底流)를 형성하고 있다는 점은 말할 것도 없으리라. 나는 이 모든 것을 '위안의 미학'이라고 명명하고 싶다. 그의 노래를 통해 우리는 희열이나 분노 대신 슬픔을 통한 위안을 끝없이 얻지 않았는가.

또 하나, 바로 전시대의 인기가수였던 남진이나 나훈아와 비교해 볼 때, 조용필은 외관에서 그들보다 훨씬 왜소하거나 화려하지 않다는 점을 이야기할 수 있다. 당시는 전두환이라는 비정통적 빅브라더가 초국가적 지배를 하고 있을 때인지라, 사람들은 오히려 그 역상(counter image)으로서 자신들처럼 작고 평범하고 친근한 가수들을 좋아했다. 1980년대 내내 전영록, 이용, 구창모, 이명훈, 박남정, 변진섭, 신승훈 등으로 인기가수의 계보가 이어진 측면도 이를 뒷받침한다. 그 점에서 조용필은 모두에게 '오빠'일 수 있었다. 그렇게 친근한 '오빠'가 들려준 '위안의 미학'이 50년을 넘게 흘러 여기까지 와 있다.

그가 음악 활동을 시작한 1960년대 후반부터 1970년대 초반까지는 당연히 내 기억으로 재현할 방법이 없다. 다만 나로서는 수많은 문헌을 통해 그가 어떻게 음악계에 진출하였고 자신을 펼쳐갔는지를 알 수 있을 뿐인데, 그 이야기는 그의 노래를 이야기해가면서 나중에라도 그때그때 구체적 전거를 들어 곁들일 수 있을 것이다. 어쩌면 나는 이 책 이후에 진짜 평전에 나설지도 모르겠다. 그럴 수 있었으면 좋겠다. 어쨌든 이 기획은 조용필을 재현하고 해석해가는 데 대부분 사사로운 기억에 의존하려고 한다. 객관적 자료는 철저한 정확성을 기하되 조금씩 있을 수밖에 없는 기억의 낙차를 감안하면서 이야기를 이어가려 한다. 그때 비로소 '시인 조용필'을 말하고자 했던 30년 저쪽의 뜻이 조금은 드러나지 않을까 기대해본다. 오늘밤에는, 코인 노래방에 가서 〈못찾겠다 꾀꼬리〉와 〈바람이 전하는 말〉을 목청껏 불러보리라.

1.
‘시인 조용필’
이라는 뜻

조용필의 매력은 당연 위안
의 힘에서 극대화한다. 위안
이라는 것은 수용자들이 스스
로를 긍정하게끔 하는 힘을
한다. 우리는 갑갑하고 어둠
시대를 살아와서 그런지 부
의 미학을 심하게 경험했다.
시대를 타인을 스스로를 부
하는 것은 젊은 날의 통과의
이기도 했다. 그러나 조용필
나를 타인을 인생을 긍정적
로 긍정하게 만드는 힘을 가
다. 물론 대부분의 대중가요
누군가 떠나고 부재한 데서
작하여 아직도 그대를 기다리
고 그리워한다는 것을 노래한
다. 조용필에게도 그런 노래가
없는 것은 아니지만 그는 서
정적인 노랫말로 온몸을 쥐어
짜는 정성스런 목소리로 나
타인을 시대를 인생을 끌어
는 힘을 가지고 있었다. '웃음'
과 '눈물' 사이의 이 폭 넓은
펙트럼은 영원한 기다림의
학보다 훨씬 더 자신만의 깊
를 가졌던 것이다. 조용필이
군가를 향해 보내는 위안은
처럼 충동을 부추기거나 가
치려고 하지 않고 울음을 강
하지 않았다.

'기억'이란 '기록'으로 몸을 바꾸기 이전의 어떤 상(像)이다. 그것이 발화의 순간을 얻으면 기록이 되고, 그런 기회가 주어지지 않으면 누군가의 마음에만 남는 개인적 침전물이 되고 만다. 사람들은 자신이 가장 선명하게 기억하는 어떤 시기가 따로 있는 법인데, 그걸 일러 그 사람의 '시대'라고 부를 수 있을 것이다. 우리는 어떤 시대를 살았고, 어떤 시대야말로 과연 '우리의 시대'였을까? 그 '시대'에 대한 기억이 발화의 순간을 얻으면 그것은 그대로 '기억의 문화사'가 되어 여러 사람의 기억에 점화(點火)의 순간을 가져다줄 것이다. 물론 충실한 자료 섭렵을 통해 한 시대를 차근차근 복원할 수도 있겠지만, 자신의 '시대'에 대한 기억의 직접성은 그때의 사람과 장면과 분위기까지 선명하게 재현할 수 있는 힘이 아닐 수 없을 것이다.

 생각해보면, '나의 시대'는 1970년대 후반부터 1980년대가 끝날 때까지, 곧 10대 후반부터 서른 직전까지가 아니었나 싶다. 그때는 모든 순간순간이 기억의 단위가 될 정도로 성장과 성숙의 리듬이 확연한 의미를 띠면서 생성되었고, 또 아주 세세하게 시기 구분이 가능할 정도로 한 해 한 해의 기억이 선명하게 다가온다. 자연스럽게 그때 강렬하게 각인된 대중문화적 아이콘이 없을 리 없다. 그 안에는 차범근, 최동원, 홍수환 같은 운동선수도 있고, 정윤희, 안성기 같은 배우에다, 황석영, 이문열 같은 소설가, 이현세, 박봉성 같은 만화가, 루카치, 크리슈나무르티, 에리히 프롬, 시드니 셸던 같은 지금은 잘 언급이 안 되는 외국 사상가나 작가도 여럿 있다. 그런데 그 기억들이 '조용필'로 돌아오면 한층 더 선명해지는 것이다.

기원(起源)과 원적(原籍)

조용필의 노래 전체를 통틀어 '기원(origin)'이 되는 노래는 어떤 것일까? 어떤 노래가 조용필의 지금을 있게 했고 또 가장 풍요로운 원류가 되어 수많은 지류들을 가능하게 했을까? 여러 곡을 생각해볼 수 있으리라. 이때 〈돌아와요 부산항에〉가 먼저 떠오르는 것은 자연스럽다. 1975년에 솔로로 전향한 조용필이 이 노래를 자신의 첫 히트곡으로 각인했으니까 말이다. 오랫동안 막혀 있던 조총련계 재일교포의 고국 방문 기회가 열리면서, 마치 이 노래는 이때를 기다렸다는 듯이 폭발적 인기를 끌었다. "돌아와요 부산항에 그리운 내 형제여."라는 결구(結句)는 이러한 구체적 상황을 아스라하게 남겨두고 있다. 물론 이 노래를 처음 부른 가수는 조용필이 아니라고 한다. 자료를 보면 최초로 이 노래를 부른 가수는 통영 출신의 김성술이었다. 예명이 김해일이었던 그는 1970년 유니버설 레코드에서 〈돌아와요 충무항에〉라는 제목으로 이 노래의 초벌을 불렀다. 물론 두 노래의 곡조는 같다. 그걸 개사하여 〈돌아와요 부산항에〉로 조용필이 부른 것이다.

　나로서는 〈돌아와요 부산항에〉가 조용필의 높은 인지도를 만든 첫 번째 노래이고 세상이 다 아는 국민적 애창곡이니, 이 곡이 조용필의 '기원'이라는 데 이의를 달기 어렵다. 그러나 조용필의 존재론적 '원적(original domicile)'은 다른 노래여야 한다고 나는 생각한다. 여기서 '원적'이란 숱한 원심력과 다양성에도 불구하고 결국 순간순간 귀환하고 마는 '조용필다움'으로서의 귀속처 같은 것을 말한다. 여럿을 거론할 수 있겠지만, 나는 조용필의 음악 세계를 가장 함축적으로 보여주는 노래가 〈고추잠자리〉와 〈못 찾겠다 꾀꼬리〉라고 생각한다. 혹자는 그의 화려한 재기를 가능하게 했던 〈창밖의 여자〉나 〈단발머리〉를 꼽을 것이다. 누구는 〈킬리만자로의 표범〉 같은 스케일이나 〈그 겨울의 찻집〉 같은 사랑의 아름다움을 들지도 모를 일이다. 왜 그뿐이겠는가? 〈친구여〉, 〈꿈〉, 〈허공〉, 〈모나리자〉, 〈바운스〉 등 그를 재확인시키는 명곡은 그것들을 나열하는 것만으로도 이 지면을 채우고도 남을 것이다. 하지만 나는 그 가운데서도 이 두 작품이 조용필 노래의 원형과 궁극을 다 담고 있다고 믿고 있다. 두 작품 모두 김순곤이 작사하고 조용필이 직접 곡을 입혔다. 지금은 노래방에서도 잘 불리지 않는 이 노래들은 과연 어떤 '시(詩)'를 품고 있을까?

〈고추잠자리〉와 〈못 찾겠다 꾀꼬리〉

〈미워 미워 미워〉를 타이틀곡으로 했던 제3집(1981)에 실린 〈고추잠자리〉는, 조용필 스스로에게도 매우 중요한 전기가 되어준 작품이다. 창법이나 노랫말의 차원 모두에서 그렇다. 조용필은 이 노래에서 일체의 훼손이 없던 자신의 어린 시절을 소환하였고, '엄마'와 '고추잠자리'를 환하게 불러들였다. 도입부는 다음과 같다.

아마 나는 아직은 어린가 봐 그런가 봐
엄마야 나는 왜 자꾸만 기다리지
엄마야 나는 왜 갑자기 보고 싶지

아마 나는 아직은 어린가 봐 그런가 봐
엄마야 나는 왜 자꾸만 슬퍼지지
엄마야 나는 왜 갑자기 울고 싶지

이 부분은 어떤 세계에 대한 기다림과 보고픔 그리고 그 세계의 불가능성으로 인한 슬픔을 내장하고 있다. 반복되는 "엄마야"는, 김소월의 명작 〈엄마야 누나야〉에서처럼, 어린아이가 엄마를 부르는 것이기도 하겠지만, '야'를 호격이 아니라 감탄형으로 보면 놀람과 황홀감을 느끼는 화자의 마음을 담은 표현이 되기도 한다. '자꾸만'과 '갑자기'가 교차되면서, 그 지속성("자꾸만")과 순간성("갑자기")은 이러한 상실감과 그리움이 어쩌면 항구적일지도 모를 것임을 내비친다. 그렇게 "아직은 어린" 화자는 어떤 세계의 상실과 그것의 회복 불가능성 그리고 그에 대한 한없는 그리움을 토로함으로써, 어떤 부재와 결핍의 상황을 자신의 시적 상황으로 취하고 있다. 그리고 그다음 부분에서 조용필의 목소리는 테이프를 역회전하는 특이한 음향과 함께 '육성'에서 '환성(幻聲)'으로 나아간다.

가을빛 물든 언덕에 들꽃 따라 왔다가 잠든 날
엄마야 나는 어디로 가는 걸까
외로움 젖은 마음으로 하늘을 보면 흰 구름만 흘러가고
어지럼 뱅뱅 날아가는 고추잠자리

서정시 특유의 회상 원리가 구체성을 얻고 있는 이 장면은, 외로움과 어지럼을 온몸으로 느끼는 어린 화자가 가을 언덕에서 들꽃을 따다가 잠들어버린 순간을 보여준다. 가을하늘에 무심하게 흘러

가는 "흰 구름"처럼, "어지럼 뱅뱅 날아가는 고추잠자리"처럼, 어린 화자는 자신이 어디로 가는지 알 수 없음을 막연하게 예감한다. 이어지는 "랄라라 랄라라 랄라라 랄랄라라"와 "뚜두두두두두뚜"의 후렴 역시 "외로움 젖은 마음"을 품으면서 화자의 기다림과 보고픔 그리고 그 세계의 불가능성으로 인한 슬픔을 에둘러 들려준다.

여기서 잠깐, 이 노래가 발표된 시점을 생각해보자. 그때는 광주

문학으로 읽는 조용필

민주화운동의 실상이 어느 정도 알려지기 시작한 때였다. 그 점에
서 〈창밖의 여자〉나 〈단발머리〉와 이 작품은 불과 1년여 차밖에 없
지만 그 안에 만만치 않은 의미론적 차이를 숨기고 있다. 조용필은
가을빛 물든 언덕에 맴맴 도는 '고추잠자리'를 통해, 온몸의 가성을
써서 올리는 음색을 통해, 폭력으로 훼손된 현실에서 존재하지 않
는 어떤 꿈의 세계를 들려주었다. "날아가는 고추잠자리"는 얼마나

아득하고 아름다운가. 아마도 이러한 그의 '시대' 의식이 정점을 구가한 것은 〈생명〉이라는 노래였을 것이다. 그리고 그 세계를 찾아헤매는 '술래'를 자신의 분신으로 쓴 노래가 바로 〈못 찾겠다 꾀꼬리〉인데, 제4집(1982) 타이틀곡이기도 했던 이 작품은 이젠 다 커버렸는데 여전히 술래가 되어 찾고 있는 어떤 세계를, 찾을 때도 되었고 보일 때도 되었는데 찾아지지 않는 어떤 세계를 한없이 그리워하는 모습을 '술래'라는 은유로 표현하고 있다.

못찾겠다 꾀꼬리 꾀꼬리 꾀꼬리
나는야 오늘도 술래
못찾겠다 꾀꼬리 꾀꼬리 꾀꼬리
나는야 언제나 술래

어두워져 가는 골목에 서면
어린 시절 술래잡기 생각이 날 거야
모두가 숨어버려 서성거리다
무서운 생각에 나는 그만 울어버렸지
하나 둘 아이들은 돌아가 버리고
교회당 지붕 위로 저 달이 떠올 때
까맣게 키가 큰 전봇대에 기대앉아
애들아 애들아 애들아 애들아

못찾겠다 꾀꼬리 꾀꼬리 꾀꼬리

나는야 오늘도 술래

못찾겠다 꾀꼬리 꾀꼬리 꾀꼬리

나는야 언제나 술래

엄마가 부르기를 기다렸는데

강아지만 멍멍 난 그만 울어버렸지

그 많던 어린 날의 꿈이 숨어버려

잃어버린 꿈을 찾아 헤매는 술래야

이제는 커다란 어른이 되어

눈을 감고 세어보니 지금은 내 나이는

찾을 때도 됐는데 보일 때도 됐는데

애들아 애들아 애들아 애들아

못찾겠다 꾀꼬리 꾀꼬리 꾀꼬리

나는야 오늘도 술래

못찾겠다 꾀꼬리 꾀꼬리 꾀꼬리

나는야 언제나 술래

못찾겠다 꾀꼬리 나는야 술래

못찾겠다 꾀꼬리 나는야 술래

못찾겠다 꾀꼬리 나는야 술래

못찾겠다 꾀꼬리 나는야 술래

못찾겠다 못찾겠다 못찾겠다

막막하고 거대한 폭력의 시대에 우리 모두는 "잃어버린 꿈을 찾아 헤매는 술래"가 아니었던가. 이 노래 도입 부분을 들어보면 조용필의 음악이 왜 그러한 세계를 그리워하는지, 그리고 그것을 불가능하게 만드는 현실의 힘에 역동적 작란(作亂)의 에너지로 어떻게 저항하는지를 우리는 알게 된다. 이처럼 '고추잠자리/술래잡기'라는 어린 시절의 선연한 기억들로 구성된 이 작품들은, 조용필의 노래가 잃어버린 어떤 세계를 탐색하고 서정적으로 탈환해가는 예술이요, 가장 아름다웠던 세계를 복원하는 외롭고 높고 쓸쓸한 '시(詩)'임을 더없이 풍요롭게 알려준다.

두루 알다시피, 조용필은 배명숙이 쓴 라디오 드라마 〈창밖의 여자〉 주제가로 1980년 대중들의 뇌리에 재등장했다. 복귀 1집은 그야말로 80년대가 조용필의 시대임을 알리는 신호탄이었다. 우리는 학교에 가면 시대의 아픔을 담은 민중가요를 주로 불렀지만, 캠퍼스를 나오면 조용필 노래를 모두 힘껏 불렀다. 그의 노래는 시대를 선명하게 설명하려는 저항성은 은폐되어 있었지만, 사랑의 절대성과 영원성만 상투적으로 갈망하는 노래들과는 스스로를 구별하고 있었다. 조용필은 어쩌면 그러한 노래들과 저항가요 사이의 완충지대였다고나 할까, 사랑을 갈망하는 사람으로부터 어떤 잃어버린 가치를 찾으려는 사람에 이르기까지 아우르는 힘을 가지고 있었던 것이다. 그만큼 그의 노래는 내구성과 지속성을 갖춘 당대의 일급 텍스트였다. 의미 깊은 노랫말, 수용층의 뜨거운 반응, 다양하게 변화해가는 그의 외관(헤어스타일만 몇 번 바뀌었다!)과 창법(락과 국악과 트로트 등등!)과 무대 매너(눌변이었지만 친절하고 따뜻한!) 등이 그만의 아우라(Aura)를 이루는 심층이었을 것이다. 김민기나 정태춘처럼 한 시대를 첨예하게 비판하지도, 남진이나 나훈아처럼 화려하지도 않았지만, 조용필에게는 그들을 다 합쳐도 따를 수 없는 그 무엇이 있었던 셈이다.

최종 텍스트로서의 조용필

요컨대 조용필은 가창력은 물론, 흡인력과 친화력을 모두 갖춘 최량의 텍스트이다. 강(强)대 강(强)이 부딪치던 1980년대의 한복판에서 사람들은 그가 '오빠'로서의 친근성을 주는 사람이라고 여겼다. 폭발적인 가창력과 순수한 소년의 이미지가 결속하여 뿜어내는 그의 노래는, 삶이라는 것이 팍팍할 때, 운동권은 운동권대로, 한량들은 한량대로 좋아할 수 있었다. 그만큼 조용필의 폭은 넓었고, 음색은 다양했고, 노랫말은 깊었다. 또한 조용필은 변화와 개신(改新)의 캐릭터였다. 그는 동어반복을 하지 않는다. 노력의 결실인지 선천적 DNA인지 몰라도 그는 자신을 한 자리에 두지 않고 변화의 소용돌이 속으로 밀어 넣는 역동성을 가졌다.

그렇지만 조용필의 미학은 단연 '위안'의 힘에서 극대화한다. '위안'이라는 것은 수용자들이 스스로를 긍정하게끔 하는 힘을 말한다. 우리는 갑갑하고 어둑한 시대를 살아와서 그런지 '부정의 미학'을 심하게 경험했다. 시대를, 타인을, 스스로를 부정하는 것은 젊은 날의 통과의례이기도 했다. 그러나 조용필은 나를, 타인을, 인생을 궁극적으로 긍정하게 만드는 힘을 가졌다. 물론 대부분의 대중가요는 누군가 떠나고 부재한 데서 시작하여 아직도 그대를 기다리고 그리워한다는 것을 노래한다. 조용필에게도 그런 노래가 없는 것은 아니지만, 그는 서정적인 노랫말로, 온몸을 쥐어짜는 정성스런 목소리로, 나를, 타인을, 시대를, 인생을 끌어안는 힘을 가지고 있었다. '웃음'과 '눈물' 사이의 이 폭넓은 스펙트럼은, 영원한 기다림의 미학보다 훨씬 더 자신만의 깊이를 가졌던 것이다. 조용필이 누군가를 향해 보내는 위안은 이처럼 충동을 부추기거나 가르치려고 하지 않고 울음을 강요하지 않았다.

최근 조용필의 목소리에는 〈창밖의 여자〉 같은 폭발력이나 〈단발머리〉 같은 스피드는 없다. 그도, 그의 노래도, 황혼을 맞아가는 것일 터이다. 그를 사랑했던 사람들도 어떤 정점의 순간들을 보내면서 그가, 그의 노래가, 천천히 황혼에 접어 들어가는 것을 함께 바라보고 있다. 그런데 그것은 안쓰러운 황혼이 아니다. 거장(巨匠)의 아름다운 변화를 함께 겪어가면서, 사람들 스스로 한 시대를 함께 흘러가고 있기 때문이다. 그래서 그의 힘은 한때 그를 사랑했던 이들이 그 기억을 반환하지 않은 채 스스로를 조정해가면서, 함께 평행선을 그어주면서 동행해가는 데 있는 듯하다.

누군가 춤과 춤꾼을 분리할 수 없다고 한 바 있거니와, 조용필 노래에서 어떻게 노랫말과 가수를 떼어낼 수 있겠는가? 그래서 우리는 그의 노래의 작가(作家)가 작사가인지 작곡가인지 아니면 노래를 부르는 조용필인지 알 수 없게 된다. 그러나 노래의 핵심이 가수의 해석력에서 갈라진다면, 조용필의 노래는 조용필 스스로의 해석과 창법과 표정과 시대의 반향이 그대로 하나의 텍스트라고 할 수 있다. 그 점에서 그는 언제나 자신의 노래의 최종 텍스트였고, 텍스트의 창안자로서 '시인 조용필'이라는 비유적 명명을 얻고도 남음이 있을 것이다.

2.
축제처럼, 율동처럼,
간절한 기도처럼

음악 없는 삶은 하나의 오류이리라.
– 프리드리히 니체

맨드라미 만나나 잡힐 듯 가까이 올라운 비바람과 먹구름이 푸른 파다의 울음이 "산고의 고통"처럼 다가온다. "호들의 함성"이 울리고 싹은 소리 내어 꽃은 재촉하고 하늘도 땅도 우리도 모두 울음의 식솔이 된다. 이러한 고통과 울음의 끝인 비와 바람더러 멈추어달라는 누구가 간절하다. 그러다가 "호들의 함성"은 "호들의 합창"이 되어 들려오고 "산고의 고통"은 슬쩍 겨 나간다. 그때 불어오는 비바람은 이제 고통만을 담지 않고 "희망을 신고/영원의 바다 앞에" 그리게 하는 약동의 함을 새롭게 가진다. 이제 일들으로 꽃을 꽃을 책깔을 품는다. 사람들의 앓던 가슴도 새롭게 설레고 달님도 별님도 우리도 모두 웃음의 가계(家系)를 이루어간다. 여기서 달님/별님은 〈생명〉에서도 새로운 물결을 타며 생명 탄생을 가늠게 했던 샤먼 (shaman)이 아닌가. 여기서도 달님과 별님의 웃음으로 우리가 "비가 내려 대지는 숨 쉬고/바람이 불어 꽃씨는 뿌려" 진 세상을 가질 수 있게 된다. 우주와 인간이 서로 통하고 대지와 중생이 화정(和正)하는 서울 1987이 보여준 공연의 순간을 용필은 정확한 가사 전달력에 얹어 자신만의 리듬과 선율로 재현한 것이다. 얘기가 달님과 별님 안고 물결을 타던 〈생명〉과 비와 바람이 새로운 꽃씨를 탄생시키던 〈서울 1987〉은 이렇게 전오속의 속에서 비롯하였다 1980과 1987 항쟁과 항쟁의 순간을 이어붙인 장대한 지향의 노래들이었다. 말할 것도 없이 노래의 최종 텍스트는 작곡자이 자 가수인 조용필 자신이었다

밥 딜런과 노벨문학상

1980년대 내내 나는 '밥 딜런'을 상상했다. "미국에서는 밥 딜런이 어쩌구, 한국에서는 김민기가 어쩌구 어쩌구" 하는 구전가요 비슷한 노래가 두 사람을 등가적 전설로 호명하던 시절이었다. 그렇게 밥 딜런은 저쪽 저항가요의 원점으로 우리에게 다가왔다. 1960년대 한복판에서 그는 정치적 메시지를 지향하는 곡을 간결하고 함축적인 노랫말에 담아 부름으로써 자신만의 저항적 브랜드를 확연하게 구축해갔다. '시인/가수'의 경계선을 흔연하게 지워간 캐릭터로서 말이다. 그는 열 살 무렵부터 시를 썼고, 10대 후반부터 노래를 했고, 대학 입학 후에도 포크 음악을 하면서 자신을 '밥 딜런'이라 스스로 불렀다. 본명은 지머맨(Robert Zimmerman)이었지만, 영국의 시인 딜런 토머스(Dylan Thomas)를 따라 이름을 바꾼 것이다. 그는 20대 초반에 세계적 명성을 얻었는데 특별히 그의 〈Blowin' in the Wind〉는 당시 흑인 인권운동의 상징으로서 저항가요의 선명한 표지(標識)가 되어주었다. 그야말로 '음유시인'으로 자신을 각인하는 순간이었다. 1999년 『타임』지(誌)는 밥 딜런을 '20세기 가장 영향력 있는 인물 100'에 선정했고, 그는 2008년에 "놀라운 시적 힘을 가진 서정적 작법으로 특징지어진 대중음악과 미국 문화에 끼친 심대한 공로"로 퓰리처상 특별상을 받았다. 그리고 "미국 음악의 전통에서 새로운 시적 표현을 창조"한 공로로, 시 쓰고 노래하는 가객으로서는 처음으로 노벨문학상을 받았다.

〈생명〉은 무엇인가

밥 딜런을 먼저 이야기한 것은 우리에게 조용필이 있음을 상기하기 위해서이다. 밥 딜런에게 1960년대는 조용필에게 1980년대였다. 물론 조용필은 우리나라 저항가요의 맥을 잇는 가수가 아니다. 어쩌면 그 줄기는 한대수, 김민기, 정태춘, 양희은, 안치환 등으로 이어져야 할 것이다. 하지만 우리는, 저항가요 브랜드가 아니면서, 폭넓은 음역(音域)을 가졌으면서, 1980년대라는 한 시대를 일종의 저항음악으로 구현한 이가 어쩌면 조용필이 아니었을까 생각해본다. 나는 그의 원적이 〈고추잠자리〉와 〈못 찾겠다 꾀꼬리〉였음을 이미 강조한 바 있다. 아름다운 세계를 불가능하게 하는 폭력적 현실에 대해, 노래가 어떻게 예술적 저항의 목소리를 드러낼 수 있는지를 그는 선명하게 보여주었다. '고추잠자리/술래잡기'라는 유년 시절의 기억들로 구성된 이 작품들은, 그의 노래가 잃어버린 세계를 탐색해가는 서정적 탈환의 예술이요 가장 아름다웠던 세계를 재현해가는 외롭고 높고 쓸쓸한 '시(詩)'였음을 알려준 것이다. 그리고 조용필 4집 앨범에 〈못 찾겠다 꾀꼬리〉에 이어 두 번째로 실린 〈생명〉을 들여다보면 이러한 속성은 더 분명한 모습을 드러내게 된다.

저 바다 애타는 저 바다
노을 바다 숨죽인 바다
납색의 구름은 얼굴 가렸네
노을이여 노을이여
물새도 날개 접었네

저 바다 숨쉬는 저 바다
검은 바다 유혹의 바다
은색의 구름은 눈부시어라
생명이여 생명이여
물결에 달빛 쏟아지네

애기가 달님 안고 파도를 타네

애기가 별님 안고 물결을 타네

대지여 춤춰라 바다여 웃어라

아 시간이여

아 생명이여

생명이여

　이 작품은 세 마디 구성으로 되어 있다. 첫 마디에서는 '애타는 바다'가 나온다. 노을이 지는 바다는 무엇인가 타는 듯하고, 가볍게 출렁이는 바다는 숨죽인 듯이 보일 것이다. 그 위로 얼굴을 가린 "납색의 구름"이 나온다. '납'은 무거운 금속원소로서 총알을 만드는 재료이기도 하다. 그 '납색'을 호출함으로써 〈생명〉은, 애를 태우듯이, 숨죽인 듯이, 물새도 날개를 접을 만큼 반(反)생명의 폭력이 편재한 시대를 배경으로 삼는다. 여기서 시적 이미지는 한결같이 '숨죽이고', '얼굴 가리고', '날개를 접은' 수동적 모습으로 나타난다. 그다음 마디에서 '바다'는 비로소 숨쉬기 시작한다. 밤을 맞아 신비와 유혹의 느낌을 가지게 된 바다 위로 "은색의 구름"이 눈부시게 환하다. 여기서 '은색'은 '납색'과 맞은편에서 생명의 아름다움을 비추어준다. 이제 달빛이 물결에 쏟아지면서 은색의 생명이 주는 환희가 시작된다. 마지막 마디에서 생명의 원형인 '애기'가 달님 안고 파도를 타고 별님 안고 물결을 타는 장관이 펼쳐지면서 이 작품은 대지와 바다를 향해 춤추고 웃으면서 생명에 가닿기를 호소한다. 춤추고 웃는 대지와 바다는, 숨죽이고 얼굴 가리고 날개 접었던 시간을, 숨 쉬고 눈부시고 달빛 쏟아지는 시간으로 바꾸어내는 생명의 제의(祭儀, ritual)를 수행해간다. 그리고 '생명'을 부르고 희원하는 구절이 반복되며 노래는 끝이 난다. 그 음색이 얼마나 간절한가.

생명이여
생명이여

이 절절한 언어와 장엄한 음악은 노랫말과 노래가 어떻게 혼연일체가 되어 한 시대를 담고 또 넘어설 수 있는지를 잘 보여준다. 잔잔한 리듬을 따라 시작된 노래는 뒤로 갈수록 목소리의 변화를 적절하게 은유하는 물결 소리와 반전(反轉)의 아기 울음소리를 통해 생명의 탄생 과정을 섬세하게 알려준다. 그 생명의 동선을 따라가는 조용필의 보컬이 시대의 정점이자 바닥에 가닿고 있는 것이다. 이에 대해 조용필의 다음과 같은 증언이 있다.

그것은 명백히 광주의 학살에 대한 분노를 담은 곡이다. 나는 체질적으로 정치와 거리가 멀다. 그러나 수감 중에 교도소 개구멍에서 내 노래를 듣고 이놈이 어떤 놈인지 궁금했다는 김지하 씨도 만난 적이 있고, 그런 인연 중에 내가 어머니라고 불렀던 전옥숙 여사와 같이 노래를 만들었다. 〈생명〉은 내 나름대로의 투쟁이었다. 그러나 4집에 실린 그 노래는 몇 번에 걸쳐 수정 지시를 받아 고쳐야 했기 때문에 원본과는 거리가 멀었다.(1997년 음악평론가 강헌과의 인터뷰)

앨범이 나온 1982년은 광주민주화운동에 대한 공론의 장이 형성되지 않았던, 주류 언론에서는 여전히 '폭동'이나 '사태'로 규정하곤 했던 시절이었다. 영화 〈택시운전사〉에서 암시되듯, 외국인 기자의 진상 취재 필름이 간헐적으로 대학가를 중심으로 돌기도 했고, 비공식적 유인물로 사건의 편린이 전달되곤 하던 때였다. 조용필은 사건의 진실을 전해 듣고는 자신의 음악 안으로 분노를 끌어들여 노래로 불렀다. 노랫말을 쓴 전옥숙과 함께 가사를 다듬으면서 말이다. 당시 공연윤리위원회의 반려로 인해 전옥숙이 가사를 대폭 수정할 수밖에 없었지만, 여전히 〈생명〉은, 비록 당시에는 뜻을 알기 어려웠지만, 지금 바라보면 너무도 선명한 메시지와 음악적 리듬을 가진 조용필 노래의 놀라운 핵심을 보여주는 사건이었던 셈이다. 〈못 찾겠다 꾀꼬리〉에 이어지는 〈생명〉은, 그렇게 유년 시절의 잃어버린 동화(童話)에서, 숨죽인 묵시록으로 이어졌다가, 다시 생명 탄생의 환희를 열어젖히는 힘을 담고 있었다.

그녀의 다른 노래 〈서울 1987〉

전옥숙(全玉淑, 1929~2015)은 영화 제작자였다. 영화감독 홍상수의 어머니로도 유명한 그녀는 출판계, 영화계, 방송계 등 걸친 광폭의 활동으로 대중문화계 전설로 불리었다. 대학 시절 연극을 했고 1960년 『주간영화』 발행인으로 영화계에 입문했다. 1963년 우리나라 첫 영화 제작 스튜디오인 '은세계영화제작소'를 차렸고, 첫 영화 〈부부전쟁〉(1964)에 이어 소록도에서 생활하며 남편의 한센병을 완치시킨 김숙향의 실화를 그린 〈그대 옆에 가련다〉(1966)를 제작하여 남성 중심이던 영화계에서 여성 영화인의 존재감을 드러낸 바 있다. 1984년 우리나라 최초로 외주 제작사 '시네텔서울'을 설립하여 〈베스트셀러극장〉 등 방송 프로그램을 제작했으며, 1991년 한국방송아카데미를 열어 방송인 양성에도 힘썼다. 2000년대 이후에는 대중에 노출된 적이 거의 없던 그녀는 최근 타계하였다.

그녀가 조용필에게 준 노랫말이 또 하나 있는데, 그것이 〈서울 1987〉이다. 1988년 5월에 나온 조용필 10집에 실린 발라드 곡이다. 연전에 상영된 영화 〈1987〉은 민주화운동이 정점을 이룬 1987년 6월항쟁을 전후하여 사람들이 어떤 선택을 해나갔는가를 보여준 탁월한 작품이었는데, 조용필은 이미 30년 전에 그 '1987'을 다음과 같이 너무도 분명하게 호명한 것이다.

바람이여 분다

혼들의 함성이 울렸네

사람들아

산고의 고통 우리 알았네

비바람 몰려오는구나

먹구름 안고

검푸른 바다 노도에 우네

싹들은 소리 내

그 꽃을 재촉을 하구나

계절은 그녀의 가슴을

앓게 했네

하늘도 울고 땅도 울고

우리 우네

비야 비야 멈추어다오

바람이여 멈추어다오

바람이여 분다

혼들의 합창이 들린다

사람들아

산고의 고통 씻겨 나가네

비바람 불어오는구나

희망을 싣고

영원의 바다 눈앞에 있네

잎들은 푸르러

그 꽃은 색깔을 품었네

수줍은 그녀의 가슴이

설레인다

달님도 웃고 별님도 웃고

우리 웃네

비야 비야 멈추어다오

바람이여 멈추어다오

비가 내려 대지는 숨쉬고

바람이 불어 꽃씨는 뿌려졌네

비가 내려 대지는 숨쉬고

바람이 불어 꽃씨는 뿌려졌네

시상의 전개는 〈생명〉과 그대로 닮았다. "애타는 저 바다"나 "납색의 구름" 같은, '비바람'과 '먹구름', '검푸른 파다'의 울음이 "산고의 고통"처럼 다가온다. "혼들의 함성"이 울리고 싹들은 소리 내어 꽃을 재촉하고 하늘도 땅도 우리도 모두 울음의 식솔이 된다. 이러한 고통과 울음의 근원인 비와 바람더러 멈추어달라는 희구가 간절하다. 그러다가 "혼들의 함성"은 "혼들의 합창"이 되어 들려오고 "산고의 고통"은 씻겨 나간다. 그때 불어오는 '비바람'은 이제 고통만을 담지 않고 "희망을 싣고/영원의 바다 눈앞에" 그리게 하는 약동의 힘을 새롭게 가진다. 이제 잎들은 푸르고 꽃은 색깔을 품는다. 사람들의 앓던 가슴도 새롭게 설레고, 달님도 별님도 우리도 모두 웃음의 가계(家系)를 이루어간다. 여기서 "달님/별님"은, 〈생명〉에서도, 새로운 물결을 타며 생명 탄생을 가능케 했던 샤먼(shaman)이 아닌가. 여기서도 달님과 별님의 웃음으로 우리는 "비가 내려 대지는 숨 쉬고/바람이 불어 꽃씨는 뿌려"진 세상을 가질 수 있게 된다. 우주와 인간이 서로 통하고 대지와 꽃들이 화창(和唱)하는 '서울 1987'이 보여준 '숨 쉼'의 순간을, 조용필은 정확한 가사 전달력에 얹어 자신만의 리듬과 선율로 재현한 것이다. 애기가 '달님'과 '별님' 안고 물결을 타던 〈생명〉과, 비와 바람이 새로운 꽃씨를 탄생시키던 〈서울 1987〉은, 이렇게 전옥숙의 손에서 비롯하였다. 1980과 1987, 항쟁과 항쟁의 순간을 이어붙인 장대한 저항의 노래들이었다. 말할 것도 없이 노래의 최종 텍스트는 작곡자이자 가수인 조용필 자신이었다.

시대극으로서의 노래, 조용필의 노래

밥 딜런으로 돌아가 본다. 이들을 생각할 때, 우리는 노래의 음악적 요소를 제거한 채 노랫말만을 분석하는 독법(讀法)이 금세 한계를 드러낸다는 사실을 곧 알게 된다. 그들은 끊임없이 장르와 창법을 바꾸어가며 노래를 불러왔으니까 말이다. 하지만 그들의 노랫말만을 보더라도 우리는 "노래=시"임을 투명하게 알 수 있다. 우리는 그들의 노래를 통해 시의 감수성과 음악의 감수성이 하나가 되는 놀라운 장면을 목도하니까 말이다. 그리고 "음악은 고통받는 개별적인 것들을 구원할 뿐 아니라 삶이 자기 자신을 구원하는 방식이기까지 하다."(니체, 『비극의 탄생』)라는 한 철학자의 말을 거듭 되새기게 된다. 조용필의 두 작품은 음악의 정신이 곧 디오니소스의 원리에 의해 구현되고 도취 속에서 아폴론적 한계선을 넘도록 유혹한다는 이 철학자의 정언을 충족하면서도, "음악 없는 삶은 하나의 오류(Ohne Musik wäre das Leben ein Irrtum)"라는 점을 분명히 알려주는 최상의 텍스트인 셈이다.

이제 우리는 상징적이고도 심미적인 시대극으로서의 노래를 조용필의 중요한 핵심으로 이토록 선명하게 만나게 된다. 조용필의 노래를 통해 그렇게 어두웠던 한 시대를 축제처럼, 율동처럼, 간절한 기도처럼, 통과해올 수 있었던 것이다.

3.
눈물처럼 떠오르는,
강물처럼 흘러가버린

음악에서 가장 중요한 것은 악보에 기록되어 있지 않다.
- 구스타프 말러

가슴이 찌릿한 느낌이 들
다. 그러나 좀처럼 악상이
오선지에 옮겨지질 않았다.
가슴이 뭉클한 순간 음표를
그리려고 하면 금세 생각이
흩어지곤 했다. 하루에 식사
한 끼도 제대로 먹지 않으
며 계속 기타, 오선지와 씨
름한 지 닷새가 되던 날 밤
을 꼬박 새우고 깜빡 잠이
들었는데, 그동안 그렇게 이
어지지 않던 멜로디가 귀
에 들어왔다. "차라리 차라
리 그대의 흰 손으로…" 그
다닥 잠을 깬 나는 미친 듯
이 악상을 옮겨 적었다. ㅡ
다음날 당장 동아방송으로
달려가 녹음에 들어갔는데
PD 안평선 씨와 작사를 한
배명숙 씨는 녹음실 밖에서
곡을 들으며, 눈물을 글썽였
다. 나의 감정이 그들 가슴
가슴에 진하게 가 닿았던
것이리라. (조용필, 『나의 노
래 나의 사랑』)

눈부신 재기

조용필은 1979년에 그룹 '위대한 탄생'을 결성하고 공식적으로 가요계에 다시 등장하면서 정규 음반 1집을 발표하였다. 여기 실린 라디오 드라마 주제곡 〈창밖의 여자〉는, 바로 그 드라마의 작가였던 배명숙이 작사를 하고 조용필이 곡을 입힌 작품이다. 이 곡이 수록된 음반은 우리나라 최초로 100만 장이 넘게 팔렸으며, 조용필을 이른바 '오빠부대'를 몰고 다니는 청춘스타로 만들어주었다. 이때로부터 조용필은 다양한 곡을 직접 만들었고 또 다른 이에게 받은 곡일지라도 직접 편곡을 함으로써 이른바 싱어 송 라이터로서의 지위를 확실하게 군히게 된다. 〈돌아와요 부산항에〉가 조용필을 세상에 널리 알린 노래였다면, 〈창밖의 여자〉는 1980년대를 그의 일인 독주 시대로 만들어준 노래였다고 할 수 있다. 어쨌든 조용필은 1977년 활동 정지라는 큰 아픔을 겪었지만 이 곡을 바탕으로 하여 3년여 만에 눈부신 재기에 성공한다.

사랑의 영원한 현존과 부재로서의 〈창밖의 여자〉

우리의 기억에 1980년은 조용필의 노래가 내내 불렸다. 나는 고등학교에 다니면서 문예부 활동을 했고, 광주민주화운동이 있었지만 대부분은 그 실상을 모르던 와중에 전두환 장군이 대통령이 되었고, 대입 예비고사와 본고사가 학력고사로 대체되었고, 지금은 모두 고인이 된 김대중, 김영삼, 김종필은 정치 활동이 금지되었던 시절이다. 새로운 억압 체제가 출현했던 바로 그 해에 조용필은 문화방송 10대 가수 가요제 대상 및 최고 인기 가요상, 동양방송 대상까지 3관왕을 휩쓸어버린다. 문화방송 가요제에서 대상이 발표되자 조용필은 앙코르 송으로 〈창밖의 여자〉를 힘있게 불렀다. 이제 그는 '창'의 밖에서 안으로 환하게 들어와 있었던 것이다.

1979년 대마초 사건 관련자 해금조치가 있자마자, 조용필은 동아방송 안평선 피디로부터 그해 가을 연속극 공모에 당선된 〈창밖의 여자〉라는 작품의 주제가를 요청받는다. 곧 드라마가 시작될 테니 비교적 속도감 있게 노래를 만들어 불러달라는 것이었다. 드라마 작가 배명숙의 노랫말은 조용필을 순간적으로 매혹시켰고, 그는 바로 곡을 입히는 데 전념하여 노래를 완성하였다. 그야말로 노랫말을 정확하게 이해한 조용필의 작곡 능력과 탁월한 창법을 그대로 보여준 명곡이었다. 이 노래는 동아방송에서 1980년 1월 1일부터 1월 31일까지 방송했던 연속극 주제가로 불렸다가 지구레코드사에서 음반 발매를 서둘러, 1980년 3월 20일 조용필 1집 음반에 타이틀곡으로 실리게 된다.

창가에 서면
눈물처럼 떠오르는 그대의 흰 손
돌아서 눈감으면 강물이어라
한 줄기 바람 되어 거리에 서면
그대는 가로등 되어 내 곁에 머무네

누가 사랑을 아름답다 했는가
누가 사랑을 아름답다 했는가
차라리 차라리 그대의 흰 손으로
나를 잠들게 하라

누가 사랑을 아름답다 했는가
누가 사랑을 아름답다 했는가
차라리 차라리 그대의 흰 손으로

나를 잠들게 하라

　이 노래는 제목에서부터 '창'을 표나게 앞세웠다. '창'이란, 시선
과 대상을 물리적으로 분리하는 차가운 차단막이자 반대로 시선과
대상을 이어주는 투명한 물질이기도 하다. 그래서 '창'의 안과 밖은
서로 분리되면서도 이어진다. 누군가 창가에 서 있는데 그때 "그대
의 흰 손"이 눈물처럼 떠오른다. 왜 '눈물'인가? 그 까닭은 바로 다
음 구절인 "돌아서 눈감으면 강물이어라"가 암시해준다. 이때의 '눈

물'은 '그대'를 환기하는 슬픔의 함의이기도 하지만, '나'의 눈동자
에 글썽이는 것이기도 하다. 정지용의 유명한 시 〈유리창〉에는 "물
먹은 별"이라는 기막힌 표현이 나오는데, 유리창에 흐리게 비치는
별빛을 바라보는 시인의 눈에 그렁거리는 눈물이 그러한 표현을
가능하게끔 한 것이다. 이 노래에서는 눈물을 글썽이던 '나'가 돌아
서 눈을 감으니 '강물'처럼 눈물이 흘러나온 것이다. 어느새 '눈물'
은 '강물'이 되어 창가에서 돌아선 '나'의 마음을 적신다. 그때 '나'
는 자신이 한 줄기 바람이 되어 창밖으로 나가 거리로 나서면 눈물

처럼 떠올랐던 '그대'는 가로등이 되어 자신의 곁에 머물 것을 상상한다. 여기서 '바람/가로등'은 '유동/정착'의 이미지를 가진다. 동시에 쓸쓸하게 불어오는 속성과 흐릿한 불빛을 비추는 속성을 결합하여 '나/그대'의 이미지를 한순간에 역전시킨다. 사실 '그대'가 머물 길 없는 바람이고 '나'가 그대를 비추는 간절한 불빛이 아니었던가. 그런데 '나'는 자신이 강물처럼 흘러가는 바람이 되어 자신의 곁에 가로등처럼 머물러 있을 '그대'를 상상하고 있는 것이다.

이때 조용필이 부르는 노래의 후렴은 말 그대로 절창으로 이어진다. "누가 사랑을 아름답다 했는가"를 두 번 연속 부르는 순간에 우리는 온몸으로 전율을 느낀다. 근대 초기의 『창조』 동인이기도 했던 오천석 시인이 세상의 감동적 이야기를 엮어 샘터사에서 『사랑은 아름다워라』라는 책을 낸 적이 있고, 조용필보다 몇 살 아래의 미국 가수 마이클 볼튼(Michael Bolton)의 노래에 〈A Love So Beautiful〉이라는 것이 있듯이, '사랑'은 언제나 인간이 누릴 수 있는 최상의 아름다움으로 경배되어오지 않았던가? 그런데 불쑥 "누가 사랑을 아름답다 했는가"라니? 물론 이러한 항변에는 사랑의 고통과 상처 그리고 다시 재현할 수 없는 순간에 대한 안타까움이 들어 있을 것이다. 그럼에도 불구하고 이 표현은 당연히 반어적(ironical)인 것이다. 창 안쪽에서는 '강물'이 되어 흐르고 창 바깥쪽에서는 '바람'이 되어 흐르는 '나'는, '그대'를 통해서만 삶이 가능한 존재이기 때문이다. 그래서 마지막 부분에 다시 "차라리 차라리"를 두 번 반복하는 절규의 순간에 우리는 그 역설적 힘을 강렬하게 느끼게 된다. "그대의 흰 손으로/나를 잠들게 하라"라는 부탁에는 그동안 지샜던 불면의 밤이 담겨 있기도 하고, '그대'의 부재와 함께 자신마저 부재의 상태로 만들어달라는 간절함이 배어 있지 않은가. 이 후렴은 간주 후에 다시 한번 반복됨으로써 우리의 기억에 '했는가'와 '하라'의 항변과 당부를 잔상처럼 남긴다. 그렇게 '창밖의 여자'는 '나'에게 존재의 전부이자 영원한 결여 형식으로 있다. 어룽거리는 눈물처럼, 흐릿한 가로등 불빛처럼 말이다.

결국 우리는 이 노래가 '눈물'과 '강물', '바람'과 '불빛', '아름다움'과 '부재'의 연쇄와 반어적 결속으로 짜여 있다는 것, 사랑의 영원한 현존과 부재라는 역설을 탁월하게 담아냈다는 것을 알게 된다. 다시 한 번 그때로 돌아가 본다. 안평선 피디가 조용필에게 작곡은 누가 했으면 하고 물었을 때 조용필은 자신이 직접 작곡을 하겠다고 했다고 한다. 녹음은 벽제에 있는 지구레코드사의 녹음실에서 했다. 조용필의 작곡 능력은 뛰어난 가창력과 결합하여 〈창밖의 여자〉를 히트시킨다. 그런 장면들이 정말 하염없이 눈물처럼 떠오르는 순간이 아닐 수 없다.

강물의 원류로서의 〈돌아오지 않는 강〉

하지만 〈창밖의 여자〉의 상(像)은 이미 〈돌아오지 않는 강〉이라

는 노래에 온전하게 앉혀져 있었다. 이 노래는 〈너무 짧아요〉, 〈돌
아와요 부산항에〉, 〈정〉이라는 초기 대표작들과 함께 복귀 이전의
서라벌레코드사의 1976년 음반에 수록되었다. 철모르던 중학교
시절에 많이 불러 주위 사람들을 어리둥절하게 했던 그 곡인데, 지
금 보니 정말 앳된 얼굴의 조용필이 음반 표지에서 수줍게 웃고 있
다. 이 노래의 작사와 작곡은 임택수라는 분이 했는데 그는 나중에
조용필에게 〈고운 님 내 님〉이라는 노래를 주기도 하였다. 〈돌아오
지 않는 강〉은, 이미 1970년대 후반에 대중들 뇌리에 익숙하였기
때문에, 조용필 복귀 1집에 재수록되었다. 그런데 이 노래는 얼마
후 나올 〈창밖의 여자〉의 아득한 예고편이기도 한 것이었다.

　　당신의 눈 속에 내가 있고
　　내 눈 속에 당신이 있을 때
　　우리 서로가 행복했노라
　　아아아아아 그 바닷가
　　파도 소리 밀려오는데
　　겨울나무 사이로 당신은 가고
　　나는 한 마리 새가 되었네

　　우리 서로가 행복했노라
　　아아아아아 그 바닷가

파도 소리 밀려오는데

겨울나무 사이로 당신은 가고

나는 한 마리 새가 되었네

새가 되었네

　이 노래는 떠나가 버린 사랑을 그리워하는 작품이자 〈창밖의 여자〉가 가진 핵심 이미지인 '강(물)'을 표제로 삼은 작품이다. 여기서도 '당신'과 '나'는 행복했던 지난날을 회상하는 상황에 있다. 그때는 그야말로 "당신의 눈 속에 내가 있고/내 눈 속에 당신이 있을 때"였기 때문이다. 이처럼 서로의 '눈 속'에 있었던 행복했던 시절은 지나가버리고 이제 그 '눈'에는 '돌아오지 않는' 시간만 눈물처럼 고여 있을 것이다. 이때 '나'는 "그 바닷가/파도 소리"가 지금도 밀려오고 있음을 노래한다. 그냥 바닷가가 아니라 '그 바닷가'라고 했으니, '그 바닷가'는 '나'와 '당신'의 기억이 머물러 있는 곳이고, 그 바다는 오래도록 강이 흘러 닿은 곳이기도 할 터이다. 이제 "겨울나무 사이로 당신은 가고" 없다. 그리고 '나'는 겨울나무에 쓸쓸히 남은 '새'가 되어 파도 소리가 쓸쓸하게 들려오는 바다를 바라보고 있을 뿐이다.

　여기서 '바닷가'는 〈창밖의 여자〉에 나오는 '창가'의 역할을 한다. 창의 안과 밖을 분할하고 이어주었던 '창가'가, 강물이 오래도록 흘러와 이제는 돌아오지 않음을 알려주는 '바닷가'로 나타난 것이다.

그런데 정작 이 노래에는 '강물'의 비유가 없다. 다만 바다로 흘러와 이제는 돌아오지 않는 강을 유추적으로 환기할 뿐이다. 강물이 흘러와서 이제는 흔적조차 없이 바다로 합류해버린 곳에서 '나'는, 〈창밖의 여자〉의 "한 줄기 바람"처럼 "한 마리 새"가 되어, "돌아오지 않는 강"으로서의 '당신'을 하염없이 바라볼 뿐이다. 이러한 밑그림을 가진 〈돌아오지 않는 강〉을 지나 〈창밖의 여자〉에서는 사랑의 아름다움과 고통스러움과 영원성이 다시 한번 아름답게 나타난 것이다. 〈돌아오지 않는 강〉이 바로 그 '강물의 원류'였던 셈이다. 그리고 조용필은 〈창밖의 여자〉를 자신의 작곡으로 불렀던 것이다.

가슴이 찌릿한 느낌이 들었다. 그러나 좀처럼 악상이 오선지에 옮겨지질 않았다. 가슴이 뭉클한 순간 음표로 그리려고 하면 금세 생각이 흩어지곤 했다. 하루에 식사 한 끼도 제대로 먹지 않으며 계속 기타, 오선지와 씨름한 지 닷새가 되던 날 밤을 꼬박 새우고 깜빡 잠이 들었는데, 그동안 그렇게 이어지지 않던 멜로디가 귀에 들어왔다. "차라리 차라리 그대의 흰 손으로…" 후다닥 잠을 깬 나는 미친 듯이 악상을 옮겨 적었다. 그 다음날 당장 동아방송으로 달려가 녹음에 들어갔는데 PD 안평선 씨와 작사를 한 배명숙 씨는 녹음실 밖에서 곡을 들으며, 눈물을 글썽였다. 나의 감정이 그들 가슴 가슴에 진하게 가 닿았던 것이리라.(조용필, 『나의 노래 나의 사랑』)

〈돌아오지 않는 강〉은 골드러시가 한창인 19세기 캐나다 근처를 배경으로 한, 마릴린 먼로 주연의 1954년 영화 제목이기도 하다. 노랫말이 씌어질 때 이 영화가 참조되었을지도 모른다. 하지만 그보다는 〈돌아오지 않는 강〉이 나중에 조용필을 일대의 스타로 만든 〈창밖의 여자〉의 전신(前身)이었다는 점이 깊이 기억되어야 하리라. 이러한 사연을 안고 시간은 강물처럼 사라져 돌아오지 않는다.

독일 후기 낭만주의 시대의 대표 작곡가인 구스타프 말러는 "음악에서 가장 중요한 것은 악보에 기록되어 있지 않다."라고 말했다. 〈돌아오지 않는 강〉과 〈창밖의 여자〉 행간에도, 악보에는 기록되지 않은 당대의 눈물처럼 떠오르는, 강물처럼 흘러가버린 역사와 인연이 이토록 뚜렷하고도 흐릿한 흔적으로 남아 있는 것이다.

4.
꿈의 사제, 조용필

오랫동안 꿈을 그리는 사람은 마침내 그 꿈을 닮아간다.
- 앙드레 말로

〈꿈〉이라는 노래는 그 가사가 메시지를 그대로 드러내죠. 꿈이 너무 황될 필요도 없지만, 꿈이 없다면은 인생이기도 하죠. 당시 지방에 도회지로 젊은이들이 많이 나오면서 농촌엔 남자들이 없던 시기였어요. 도시로 나오는 것은 꿈을 위해 잖아요. 성공하는 사람도 있고 실하는 사람도 있을 텐데…. 그런 사들을 떠올리면서 외국 가는 비행기안에서 작사해서 만든 노래예요.

이렇게 조용필은 세상이 '나의 꿈'을 알아줄까를 노래했다. '화려한 시'와 '고향의 향기'의 확연한 대위법 속에서 그 향기를 듣는 그의 품 '시인 조용필'에 단호하게 육박해다. 아닌 게 아니라 그 시대는 청년들이 화려한 도시를 찾아왔지만, 고도 험한 그곳을 등지고 꿈속에서나마 고향의 향기를 온몸으로 들이려 했던 그런 때였지 않은가. 조용의 시대감각이 얼마나 견고하고 도 풍요로운가를 알려주는 실증이 이닐 수 없다. 그런데 이 노래의 제목인 '꿈'은 그로부터 8년 전에 이미상을 적신 바 있다. 온 국민을 그의 친구로 만든 노래 〈친구여〉다.

나의 꿈을 알까 – '화려한 도시'와 '고향의 향기'

조용필이 1991년에 펴낸 제13집 앨범은 『The Dreams』다. 그야말로 '꿈들'이다. 여기에 그는 〈꿈〉, 〈꿈꾸던 사랑〉, 〈꿈의 요정〉, 〈지울 수 없는 꿈〉, 〈꿈을 꾸며〉, 〈어젯밤 꿈속에서〉 등 일련의 '꿈' 노래들을 실었다. 소설로 치면 연작소설쯤 되는 것 같다. 지금도 많은 이들의 가슴을 울리는 명곡 〈꿈〉은 이 가운데서도 단연 대표작으로서, 조용필을 누구도 부인할 수 없는 싱어 송 라이터로 각인해 준 작품이기도 하다. 조용필의 시대였던 1980년대가 저물고 새로 열리기 시작한 1990년대에 그가 던진 시대적 화두로서의 '꿈', 우리는 그가 열창한 이 노래를 통해 그를 '꿈의 사제'라고 부를 수 있게 되었다.

화려한 도시를 그리며 찾아왔네.

그곳은 춥고도 험한 곳

여기저기 헤매다

초라한 문턱에서

뜨거운 눈물을 먹는다.

머나먼 길을 찾아 여기에

꿈을 찾아 여기에

괴롭고도 험한 이 길을 왔는데

이 세상 어디가 숲인지

어디가 늪인지

그 누구도 말을 않네.

사람들은 저마다

고향을 찾아가네.

나는 지금 홀로 남아서

빌딩 속을 헤매다

초라한 골목에서

뜨거운 눈물을 먹는다.

저기 저 별은 나의 마음을 알까

나의 꿈을 알까

괴로울 땐 슬픈 노래를 부른다.

슬퍼질 땐 차라리 나 홀로

눈을 감고 싶어

고향의 향기 들으면서

이 작품 안에는 '눈물', '길', '숲', '늪', '별', '노래', '고향' 등 이른 바 '원형 심상(archetypal image)'이라고 부를 수 있는 이미지들이 연쇄적으로 나타난다. 여기 "화려한 도시"를 그리며 찾아온 한 사내가 있다. 그러나 화려함으로 가득할 줄만 알았던 도시는 오히려 "춥고 도 험한 곳"으로 다가왔다. 정착할 곳 없이 헤매다가 "초라한 문턱" 에 앉아 "뜨거운 눈물"을 먹는 사내의 모습에서 우리는 차디찬 비정 의 도시를 느낀다. 여기서 '화려함/초라함', '추움/뜨거움'의 확연한 대조는, 1990년대 초 기우뚱하게 발전해가던 거대 도시의 모습을 입체적으로 드러낸다. 1980년대 내내 성세(聲勢)를 이어갔던 박노 해나 백무산의 화자들이 좀 더 감각적 진정성을 가진 채 작품 안에 들어앉아 있고, 1970년대 이후 도도하게 이어지던 이촌향도(離村 向都)의 거대한 물결이 이 현란한 후기 근대에까지 미치고 있다. 그 점에서 이 노래는 당시 한국 사회에 대한 정직하고도 투명한 축도 (縮圖)가 되기에 족했다. 그리고 그 물결을 가능하게 한 것이 '꿈'이 었을 것이다. 말하자면 청년들은 머나먼 길을 찾아, 꿈을 찾아, 괴 롭고도 험한 길을 걸어온 것이다. "머나먼 길" 곧 "괴롭고도 험한 이 길"은 화려함을 찾아오게끔 한 직접적 동력이었지만, 결국 청년은 "이 세상 어디가 숲인지/어디가 늪인지"를 알 수 없게 된다. 이 두려운 격절의 감각 속에서, 상상 속에서나마, 아니 꿈을 통해서만, 청년들은 저마다 '고향'을 찾아간다. 물론 현실에서의 그는 빌딩 숲(혹은 늪) 속에 "홀로 남아서" 뜨거운 눈물을 먹고 있을 뿐이다.

바로 그 순간, 사내는 춥고도 험하고도 초라하고도 괴로웠던 시간을 훌쩍 초월하여 '별'의 심상을 찾아간다. 과연 "저기 저 별은 나의 마음을 알까/나의 꿈을 알까" 하고 노래하는 것이다. 이 "마음=꿈"은 빌딩 너머, 초라한 문턱 너머, 화려한 도시의 외관 너머, '별'에 이르는 청년의 순수하고도 외로운 지향을 잘 알려준다. 여전히 고통이 엄습할 때 그가 부르는 "슬픈 노래"는 조용필이 우리에게 들려준 노래들과 등가일 것이고, 그 슬픔이 꿈을 적실 때 비로소 "나 홀로/눈을 감고" 듣게 되는 "고향의 향기"는, 〈고추잠자리〉에서처럼, 〈못 찾겠다 꾀꼬리〉에서처럼, 유년 시절의 환하고도 무구했던 기억을 환기하는 오롯한 환각이 아니겠는가. 이 곡을 쓴 조용필은 "고향의 향기"를 '맡으면서'라고 쓰지 않고 '들으면서'라고 매듭지었는데, 이른바 공감각적 표현이 참으로 이채롭게 다가온다. 옛말에도 '향음(香音)'이라 하여 향기에도 소리가 있고, 관음(觀音)이라 하여 소리를 듣기도 했다는 표현이 나오는데, 조용필은 '청향(聽香)'이라는 공감각으로 가장 근원적인 '고향의 향기'를 완성한 것이다.

유명한 방송진행자 김제동이 언젠가 이 곡에 대해 조용필에게 물었다. 노래를 만들 때 담고 싶었던 메시지는 혹시 없었느냐고 말이다. 그때 조용필은 이렇게 답했다.

〈꿈〉이라는 노래는 그 가사가 메시지를 그대로 드러내죠. 꿈이 너무 허황될 필요도 없지만, 꿈이 없다면 죽은 인생이기도 하죠. 당시 지방에서 도회지로 젊은이들이 많이 나오면서 농촌엔 남자들이 없던 시기였어요. 도시로 나오는 것은 꿈을 위해서잖아요. 성공하는 사람도 있고 실패하는 사람도 있을 텐데…. 그런 사람들을 떠올리면서 외국 가는 비행기 안에서 작사해서 만든 노래예요.

이렇게 조용필은 세상이 '나의 꿈'을 알아줄까를 노래했다. '화려한 도시'와 '고향의 향기'의 확연한 대위법 속에서 그 향기를 듣는 그의 품이 '시인 조용필'에 단호하게 육박해간다. 아닌 게 아니라 그 시대는 청년들이 화려한 도시를 찾아왔지만, 춥고도 험한 그곳을 등지고 꿈속에서나마 고향의 향기를 온몸으로 들으려 했던 그런 때였지 않은가. 조용필의 시대감각이 얼마나 견고하고 또 풍요로운가를 알려주는 실증이 아닐 수 없다. 그런데 이 노래의 제목인 '꿈'은 그로부터 8년 전에 이미 세상을 적신 바 있다. 온 국민을 그의 친구로 만든 노래 〈친구여〉다.

꿈 속에서 만날까 – 슬픔, 기쁨, 외로움 그리고 그리움

이 노래는 1983년 5집 앨범 『산유화』에 실렸다. 하지영이 노랫말을 쓰고 이호준이 곡을 입혔다. 잘 알려진 대로 하지영은 조용필

에게 무려 열네 곡이나 노랫말을 준 유명 작사가이다. 양인자 다음
으로 많은 곡을 그는 조용필에게 주었다. 작곡가이자 유명한 건반
연주자였던 이호준은 조용필 노래 가운데 아홉 곡을 만들었다. 이
또한 김희갑 다음 숫자다. 그는 1979년부터 '위대한 탄생' 멤버로
활약했으며, 조용필의 전성기라 할 1980년대 중반까지 함께하였
다. 소방차의 〈어젯밤 이야기〉(1987), 김종찬의 〈토요일은 밤이 좋
아〉(1987), 김완선의 〈삐에로는 우릴 보고 웃지〉(1990) 등을 작곡하
기도 한 그는 1950년생 조용필과 동갑내기였으며 지난 2012년 폐

암으로 타계하였다. 가장 보편적이면서도 애잔한 친구의 마음이 그
의 선율을 따라 움직여간다.

꿈은 하늘에서 잠자고
추억은 구름 따라 흐르고
친구여 모습은 어딜 갔나
그리운 친구여
옛일 생각이 날 때마다

우리 잃어버린 정 찾아

친구여 꿈 속에서 만날까

조용히 눈을 감네.

슬픔도 기쁨도 외로움도 함께했지

부푼 꿈을 안고 내일을 다짐하던

우리 굳센 약속 어디에

꿈은 하늘에서 잠자고

추억은 구름 따라 흐르고

친구여 모습은 어딜 갔나

그리운 친구여

이 노래의 첫 단어도 '꿈'이다. 그 '꿈'은 앞에서 본 〈꿈〉에서의 '꿈'과 한편으로는 닮았고 한편으로는 다르다. 우선 둘의 '꿈'은 현실에서 이루어지거나 만날 수 없는 불가능성에서 닮았다. 그리고 〈친구여〉가 낭만적이고 회상적인 데 비해, 〈꿈〉은 그보다 좀 더 현실을 담고 있다는 점에서 서로 다르기도 하다. 어쨌든 〈친구여〉는 하늘에서 잠자는 '꿈'을 구름 따라 흐르는 '추억'과 병치시킴으로써, '꿈=추억'의 회상 문법을 상정한다. 작품 속 청자인 '친구'는 꿈과 추억 속에만 존재하는, 이제는 만나기 어려운, "모습은 어딜 갔나"라는 말을 되뇌게 하는 "그리운 친구"이기 때문이다. 그러니 화자로서는 "옛일 생각이 날 때마다" 잃어버린 정 찾아 친구를 꿈 속에서 만날 수밖에 없었으리라. 여기서 조용히 눈을 감는 것은 바로 그 "슬픔도 기쁨도 외로움도 함께"했던 친구를 꿈속에서 만나는 행위일 것이다. 〈꿈〉에서 조용필은 "슬퍼질 땐 차라리 나 홀로/눈을 감고 싶어/고향의 향기 들으면서"라고 함으로써, 눈을 감는 것이 가장 근원적인 차원에 가닿는 순간적 행위임을 노래하였다. 두 작품이 하나의 뿌리에서 나온 '꿈'의 노래들임을 알게 해주는 대목이다. 결국 "부푼 꿈을 안고 내일을 다짐하던" 굳센 약속은 사라지고 없지만, 꿈처럼 추억처럼 다가오는 "그리운 친구"는 화자의 삶을 가능케 해주는 오랜 동력으로서 영원할 것이다.

이처럼 조용필의 노래에는 숨길 수 없는 공통점이 있다. 그 안에 짙은 슬픔이 배어 있다는 점이다. 아닌 게 아니라 조용필의 '꿈'은 슬픔으로 아득하게 젖어 있다. 슬픔에 아늑하게 감싸여 있다. 조용필은 우리 모두가 꿈 속에서 만날 수 있을까를 노래했고, 꿈을 찾아왔지만 더 깊은 꿈은 근원적인 곳에 이미 있었노라고 노래한다. 그 안에 슬픔, 기쁨, 외로움 그리고 그리움이 가득 출렁이고 있는 것이다.

부푼 꿈을 안고 내일을 다짐하던

'꿈'이라는 말에는 두 가지 다른 속성이 숨어 있다. 하나가 어떤 대상이나 상태를 강렬하게 염원하는 데서 생겨나는 것이라면, 하나는 그러한 소망이 실현 불가능한 것이라는 느낌에서 발생한다. "젊은이여, 꿈을 가져라."라고 말할 때는 앞의 성격이 두드러지고, "꿈 같은 소리 말라."라고 할 경우에는 후자가 강하게 부각된다. 이처럼 우리가 꾸는 '꿈'은, 현실 가능성이 보장된 것을 달성해가는 것이 아니라, 애초에 불가능해 보였던 것에 대하여 도전하고 성취하는 것에서 완성된다.

그렇다면 우리 시대의 '꿈'은 어떤 것이어야 할까? 신성(神聖)이 사라져버린 시대, 문명과 자본의 속도가 영성과 지성의 독립성을 앞질러 모두가 마음 한구석에 허무주의와 실용주의의 그늘을 드리우고 살아가는 시대, 모든 생각과 표현의 결과가 자본이 지령하는 교환가치로 호환되는 시대, 이러한 풍요롭고도 빈곤한 시대에 사제적 경건성과 예언자적 지성으로 살아갈 책무를 부여받은 이들의 '꿈'은 어떤 형식과 내용이어야 하는가? 오랫동안 반복되어온 회귀적 질문이겠지만, 여기서 우리는 황폐한 시대에 정결한 '꿈'을 꾼, 그 '꿈'의 완성을 위해 시대 한복판에서 노래해온 영혼을 통해 '꿈'에 대하여 생각해보게 된다. 그는 결국 미완의 '꿈'을 노래했지만, "부푼 꿈을 안고 내일을 다짐하던" 마음으로 남아, 그 미완의 힘으로 오히려, 지금도 완성을 꿈꾸게끔 해준다.

조용필은 1971년에 배성문 작사, 변혁 작곡의 〈하얀 모래의 꿈〉, 김미성 작사, 최이철 작곡의 〈꿈을 꾸리〉라는 곡으로 데뷔하였다. 데뷔곡부터 키워드는 '꿈'이었던 셈이다. 그러나 이 곡들은 별다른 호응을 얻지 못했고, 그로부터 얼마의 세월이 지나 1976년에 펴낸

두 번째 앨범의 삽입곡 〈돌아와요 부산항에〉를 통해 그는 가수로서의 꿈을 이루어가기 시작하였다. 공교롭게도 이 노래 2절에도 "가고파 목이 메어 부르던 이 거리는 그리워서 헤매이던 긴긴 날의 꿈이었지"라는 표현에 '꿈'이 깃들여 있다. 그 "긴긴 날의 꿈"을 안고 그는 우리 가요사에서 실험정신과 시대정신 어느 것도 놓지 않은 채 그만의 '꿈의 예술'을 구현해갔다.

지성과 행동의 결합을 추구했던 프랑스의 행동주의 소설가 앙드레 말로(André Malraux)가 남겼다는 "오랫동안 꿈을 그리는 사람은 마침내 그 꿈을 닮아간다."라는 유명한 말을 기억해본다. 조용필은 자신의 "긴긴 날의 꿈"을 넘어, "부푼 꿈을 안고 내일을 다짐하던" 시간을 지나, "저기 저 별은 나의 마음을 알까/나의 꿈을 알까"라면서 우리 시대의 우울하고도 아름답고도 절실한 꿈을 노래하였다. 그 과정에서 마침내 그 꿈을 천천히 닮아갔다. 그를 일러 '꿈의 사제'라고 불러도 좋을 까닭이 여기에 있다.

5.
'단발머리' 소녀와
'촛불 같은' 여인

그녀는 내 눈꺼풀 위에 서 있다
그녀의 머리칼은 내 머리칼 속에
그녀는 내 손의 모양을 가졌다
그녀는 내 눈빛을 가졌다
그녀는 삼켜진다 내 그림자 속에.
- 폴 엘뤼아르

1980년에 조용필이 노래한 두 여자가 있었다. '단발머리' 소녀와 '촛불 같은' 여인이었다. 이 소녀와 여인이 조용필을 여느 가수들과 전혀 다르게 만들었다. 조용필은 그냥 두 여자를 노래한 것이 아니라, 비에 젖은 풀잎처럼 단발머리를 빗은 '소녀'와 흔들리는 촛불처럼 연약한 '여인'의 아름답고 구체적인 상(像)을 만들어냄으로써, 그 소녀와 여인들에게, 그리고 소녀와 여인을 사랑한 모든 이들에게 찬연한 기억을 선사했던 것이다. 이후 우리는 그 파생 형상으로 〈황진이〉나 〈모나리자〉, 〈슬픈 베아트리체〉, 〈진(珍)〉처럼, 조용필이 깊이 사랑했고 기억했던 여인들을 만나게 된 것이다.

그 언젠가 나를 위해 꽃다발을 전해주던

1980년 벽두의 조용필을 강렬하게 착색한 이미지에는 여러 차원의 새로움이 있었다. 단색이 아닌 다양한 그의 흡인력에는 목소리의 짙은 호소력, 다양한 장르 소화력, 해맑은 소년의 미소 같은 것들이 만만치 않은 새로움으로 버티고 있었다. 더구나 언뜻 왜소해 보이기까지 하는 그의 소박한 비인공(非人工)의 외관은, 이 나라의 평범한 소녀들에게 그가 친근하고도 사랑스러운 '오빠' 이미지로 각인되게끔 하는 결정적인 역할을 하였다. 객석에서, 안방에서, 그의 브로마이드가 담긴 잡지를 들추면서 '오빠'를 목놓아 부른 '단발머리' 소녀들이야말로 다른 뮤지션들로부터 조용필을 근본적으로 분리해내고 또 옹위해마지 않았던 은유적 호위무사들이었을 것이다. 그 소녀들은 '단발머리' 소녀와 자신을 동일시하면서 열렬하게 이 노래를 듣고 따라 불렀으리라.

> 그 언젠가 나를 위해 꽃다발을 전해주던 그 소녀
> 오늘 따라 왜 이렇게 그 소녀가 보고 싶을까
> 비에 젖은 풀잎처럼 단발머리 곱게 빗은 그 소녀
> 반짝이는 눈망울이 내 마음에 되살아나네
> 내 마음 외로워질 때면 그날을 생각하고
> 그날이 그리워질 때면 꿈길을 헤매는데
> 우우우 못 잊을 그리움 남기고
> 그 소녀 데려간 세월이 미워라
> 우우우우우 우우우우우
> 그 언젠가 나를 위해 꽃다발을 전해주던 그 소녀
> 오늘 따라 왜 이렇게 그 소녀가 보고 싶을까
> 비에 젖은 풀잎처럼 단발머리 곱게 빗은 그 소녀
> 반짝이는 눈망울이 내 마음에 되살아나네

1970년대의 인기가수 가운데 하수영이라고 있었다. 가부장제 아래서 신산한 삶을 살았던 그 시대의 모든 아내들을 위안했던 불멸의 애창곡 〈아내에게 바치는 노래〉의 가수로서 서른다섯이라는 젊은 나이에 타계한 분이다. 조운파가 작사하고 임종수가 곡을 지은 〈아내에게 바치는 노래〉는 1976년에 발매된 하수영 1집에 수록되었다. 하수영은 작곡 역량도 뛰어났는데 1977년에 히트한 윤정하의 〈찬비〉를 짓기도 했다.(윤정하는 시집 『에듀케이션』(2012)을 펴낸 시인 김승일의 엄마다.) 하루는 하수영이 콘서트를 하는데 어린 여학생 하나가 하수영에게 꽃다발을 주면서 "아이 귀여워."라고 말했다고 한다. 그 순간 〈단발머리〉의 가사가 섬광처럼 작사가 박건호에게 날아들었고, 박건호는 이 발랄하고 슬픈 노랫말을 조용필에게 전해주었다고 한다. 이후 조용필은 빼어난 작곡 솜씨를 발휘하여 이 노래를 〈창밖의 여자〉와 마주 세웠고, 1980년 내내 우리로 하여금 '뽕 뽕 뽕' 하는 전자 음향을 선명하게 접하게끔 해주었다. 이 노래는 전통 창법이 서양 현대음악과 만나 이루어낸 퓨전 음악의 백미(白眉)라고 할 수 있는데, 이른바 '펑키 디스코' 리듬을 활용하여 가장 신나는 리듬을 만들고 그 위에 보고 싶은 대상을 향한 그리움을 얹었던 것이다. 경쾌함과 그리움이 비대칭적으로 결합하면서도 조용필 특유의 가창력이 빛을 발한 작품이 아닐 수 없다.

〈잊혀진 계절〉, 〈슬픈 인연〉, 〈어느 소녀의 사랑 이야기〉 등을 우리에게 남긴 작사가 박건호는 '단발머리' 소녀의 단아하고 반짝이고 슬픈 모습을 선연하게 담아냄으로써 이 노래의 일등공신이 되었다. '나(여기서 우리는 바로 '가수 조용필'을 떠올린다.)'에게 꽃다발을 전해주는 소녀가 있었다. 그리 멀지 않은 과거에 그녀는 오로지 '나를 위해' 자신만의 꽃다발을 준비했을 것이다. '나'는 오늘 따라 마음속에 떠오르는 "비에 젖은 풀잎처럼 단발머리 곱게 빗은 그 소녀"의 "반짝이는 눈망울"을 그리워한다. "비에 젖은 풀잎"과 '단발머리' 소녀는 얼마나 어울리는 비유의 짝인가. '나'는 외로움이 극에 달하면 소녀와 만났던 날을 떠올리고 자연스럽게 꿈 속에서의 그리움과 헤매임을 불러온다. 하지만 그 소녀를 '나'로부터 떠나가게 한 건 "못 잊을 그리움 남기고/그 소녀 데려간 세월"이었다. 오랜 세월 후 '나'는 그 소녀를 추억하는 것이다. 이러한 가사를 신시사이저 음향과 전자 음악으로 담아낸 이 명편(名篇)은, 당시로서는 퍽 신선한 음향으로 다가와 어쩌면 슬픔으로 어쩌면 경쾌함으로 우리를 적셨을 것이다. 지금은 부재하는, 하지만 지울 수 없는 그리움을 안겨주고 떠난 그 소녀를 '나'로부터 앗아간 세월이 밉다고 노래하는 표정조차 어쩌면 그 '소녀'를 향한 어법이었을지도 모른다. 그리고 당대의 소녀들은 "반짝이는 눈망울"로 조용필의 노래를 따라, 웃고, 울고, 소리 질렀으리라. 그 언젠가 나를 위해 꽃다발을 전해주던 단발머리 소녀처럼.

연약한 이 여인을 누가 지키랴

다시 한번 강조하지만 1980년은 광주민주화운동의 해이자 조용필의 해이다. 그 해 말엽에 조용필은 또 한 곡의 야심작을 실은 앨범을 발표한다. 타이틀곡은 당시 드라마 주제곡이었던 〈촛불〉이었다. 이 노래는 1980년 9월에 방영된 TBC 드라마 〈축복〉의 주제가로서, 카네기홀에서 한국 가수로서는 최초로 공연하는 조용필의 모습이 표지를 장식하였다. 이 앨범은 드라마의 인기와 함께 사람들의 뇌리에 깊이 깃들였다. 여기서 조용필이 노래한 대상은 단발머리 곱게 빗은 '소녀'가 아니라 촛불처럼 위태롭게 삶을 이어가는 연약한 '여인'이었다.

그대는 왜 촛불을 켜셨나요
그대는 왜 촛불을 켜셨나요
아아
연약한 이 여인은 누구에게 말할까요
사랑의 촛불이여 여인의 눈물이여
너마저 꺼진다면 꺼진다면 꺼진다면
바람아 멈추어라 촛불을 지켜다오
바람아 멈추어라 촛불을 지켜다오
연약한 이 여인을 누가 누가 누가 지키랴

그대는 왜 촛불을 켜셨나요
그대는 왜 촛불을 켜셨나요
아아
끝없는 그리움을 누구에게 말할까요

철없는 촛불이여 외로운 불빛이여

너마저 꺼진다면 꺼진다면 꺼진다면

바람아 멈추어라 촛불을 지켜다오

바람아 멈추어라 촛불을 지켜다오

연약한 이 여인을 누가 누가 누가 지키랴

기억에 의존하든, 자료의 도움을 얻든, 이 드라마의 주인공은 당대 최고의 청춘스타 정윤희였다. 그녀가 겪는 암 투병의 시간이 드라마를 이끌어갔고, 시청자들은 한결같이 "연약한 이 여인"을 지켜달라고 기도하는 마음으로 드라마를 지켜보았다. 그때 어김없이 울리는 "그대는 왜 촛불을 켜셨나요"로 시작하는 주제곡은 '조용필-정윤희'라는 당대 최고 스타의 결속으로 화제를 모았다. 잠깐 첨언하면, 당시 전두환 군사 정부는 언론 통폐합이라는 미증유의 국가 폭력을 수행하였는데 그 가장 큰 희생자가 된 것이 TBC 동양방송이었다. 아직도 내 뇌리에는 소년소녀들이 합창으로 부르는 동양방송 사가(社歌)가 아련하게 맴돈다. 지금 불러보아도 가사가 일품이다. 드라마 〈축복〉은 그때 사라진 TBC의 마지막 드라마였다.

수많은 촛불이 어둠을 밝히는 장면을 배경으로 하여 흘러나오는 조용필의 주제곡은 처절하고도 안타까운 한 여인의 삶을 지켜보면서 그녀를 응원하는 모두의 따뜻한 눈빛이자 불빛이었을 것이다. 촛불이 꺼지면 여인의 삶도 따라 꺼질 것만 같은 아슬아슬함과 그 시련을 결국 이겨내는 사랑의 아름다움, 이 노래는 이러한 슬픔과 기도의 힘으로 충일해 있었다. 물론 조용필은 '켜셨나요'가 아니라 '키셨나요'로 불렀다. 어쩌면 '키셨나요'로 부른 것이 훨씬 더 우리 마음을 키우고 있었는지도 모른다. 이 곡의 노랫말을 쓴 이희우는 한국 드라마 역사에서 이환경, 신봉승, 정하연, 김수현 등과 아울러 최고의 성가를 누린 드라마 작가이다. 그가 대본과 주제곡 노랫말을 함께 쓴 결실이 〈축복〉이었던 셈이다.

노래는 "그대는 왜 촛불을 켜셨나요"를 반복하면서 '그대'로 호명되는 이로 하여금 '촛불'을 켜고 '촛불'을 지키게끔 하는 장치를 마련한다. 그리고 누구에게도 말할 수 없는, 그러니 누구에게는 말해야 하는 "연약한 이 여인"을 등장시켜 흔들리는 "사랑의 촛불"과 연약한 "여인의 눈물"을 어느새 등가로 만들어버린다. 촛불이 바람에 꺼진다면 '여인'의 모든 것은 끝나게 되어 있다. 그러니 "바람아 멈추어라 촛불을 지켜다오/바람아 멈추어라 촛불을 지켜다오"라는 간절한 비원(悲願)과, "연약한 이 여인"을 지키는 주체로서 '누가'를 세 번이나 반복하는 장면은, 누군가는 혹은 누구라도 여인을 지켜달라고 간구하는 기도의 형식을 띠게 된다. 2절로 가면 우리는 "끝없는 그리움"을 만들어낸 "철없는 촛불"에게 원망도 없지 않지만, 그럼에도 "외로운 불빛"이 꺼지지 않고 남아 "연약한 이 여인"이 지상에서의 삶을 지속해갈 것을 기원하는 마음과 만나게 된다. 우리는, 비록 연약하지만, 모두의 간구와 기원으로 살아가는 '사랑'과

'그리움'과 '외로움'의 여인을 속 깊이 만나는 것이다.

여기서 잠깐, 조용필을 통해 새삼 정윤희에 대한 기억을 떠올려 본다. 나는 정윤희를 방송 드라마 〈청실홍실〉에서 처음 보았다. 중 학교 1학년 때였다. 학교에 가면 아이들과 으레 외화 〈6백만 불의 사나이〉와 이 드라마를 이야기했던 것 같다. 하루는 〈6백만 불의 사나이〉의 주인공 스티브 오스틴이 기억상실증에 걸린 애인 제이 미 소머즈를 안타깝게 바라만 보는데, 막상 소머즈는 자신을 살려

문학으로 읽는 조용필

낸 의사와 연정을 키우는 장면이 있었다. 중1 아이들은 모두 스티
브 편이 되어 그 의사를 온통 거센 육담으로 욕함으로써 한 사나이
의 지순한 사랑 편을 들기도 했다. 〈청실홍실〉에서 정윤희는 '동숙'
이라는 이름으로 '지선'이라는 이름의 장미희와 공연했다. 주제곡
은 하수영과 혜은이가 듀엣으로 불렀다. 지금도 그녜들의 목소리가
귀에 선하다. 동숙은 주인공 김세윤을 사이에 두고 지선과 삼각관
계를 이루었는데, 나는 언제나 동숙 편이었다. 결말도 동숙에게 남

주인공이 돌아오는 것으로 끝났던 듯싶다. 정윤희는 이후 영화 〈꽃순이를 아시나요〉, 〈나는 77번 아가씨〉 등으로 화려한 전진가도를 달렸고, 내 기억에만도 〈뻐꾸기도 밤에 우는가〉, 〈안개마을〉, 〈사랑하는 사람아〉, 〈앵무새 몸으로 울었다〉 등 무수한 영화를 자신의 대표작으로 남겼다. 조용필의 노래가 이러한 절정의 정윤희 이미지와 결합하면서, 〈촛불〉은 80년대초의 가장 매혹적인 문화적 수원(水源)으로 남게 된 것이다.

이 노래가 담긴 앨범은 1980년 12월 5일에 발매되었다. 노래는 장중한 신시사이저에 폭발적으로 다가오는 커다란 사운드로써 한 여인의 삶과 죽음이라는 절체절명의 순간을 부조(浮彫)한다. 그 사이사이로 조용필의 작곡 역량과 그 팀이 가진 연주 역량이 융융하게 빛을 발한다. 그 빛이 "연약한 이 여인을 누가 지키랴"라는 질문에 대한 예술적 응답이 되고도 남았으리라.

두 여자가 있었다

프랑스의 초현실주의 시인 폴 엘뤼아르는 「그녀는 내 눈꺼풀 위에」라는 작품에서 "그녀는 내 눈꺼풀 위에 서 있다/그녀의 머리칼은 내 머리칼 속에/그녀는 내 손의 모양을 가졌다/그녀는 내 눈빛을 가졌다/그녀는 삼켜진다 내 그림자 속에."라고 노래하였다. '눈꺼풀'과 '머리칼'과 '손'과 '눈빛'마저 닮아버린 '나'와 '그녀'는 어느

새 서로의 그림자 속에 삼켜지면서 오랫동안 하나의 영상으로 존속해갈 것이다.

1980년에 조용필이 노래한 두 여자가 있었다. '단발머리' 소녀와 '촛불 같은' 여인이었다. 이 소녀와 여인이 조용필을 여느 가수들과 전혀 다르게 만들었다. 조용필은 그냥 두 여자를 노래한 것이 아니라, 비에 젖은 풀잎처럼 단발머리를 빗은 '소녀'와 흔들리는 촛불처럼 연약한 '여인'의 아름답고 구체적인 상(像)을 만들어냄으로써, 그 소녀와 여인들에게, 그리고 소녀와 여인을 사랑한 모든 이들에게 찬연한 기억을 선사했던 것이다. 이후 우리는 그 파생 형상으로 〈황진이〉나 〈모나리자〉, 〈슬픈 베아트리체〉, 〈진(珍)〉처럼, 조용필이 깊이 사랑했고 기억했던 여인들을 만나게 된 것이다.

6.
바람의 노래를 들어라

바람이 분다! …… 살아봐야겠다!
– 폴 발레리

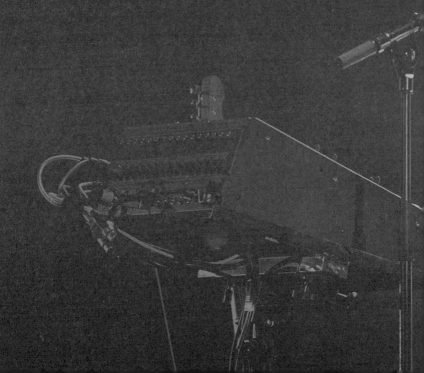

바람'은 어떤 윤리적인 지향으로 쓰이기도 한다. 가령 공자의 『논어』 안연 편에서는 군자의 덕에 소인들이 감화되는 것을 바람이 불어 풀이 눕는 것으로 비유하기도 한다. 이 장면은 김수영의 시 「풀」에 고스란히 재현된다. 그런가 하면 '바람'은 불경에 나오는 '무소의 뿔처럼 혼자서 가라. 그물에 매이지 않는 바람과 같이'에서 보듯이 한없는 자유로움의 의미로 쓰이기도 한다. 또한 꿈의 해석에서도 '바람'은 대부분 고난과 시련의 함의로 쓰인다. 하지만 언덕 위에서 불어오는 따뜻한 생명의 기운으로 나타나기도 한다.

이 모든 원형상징의 권역을 뛰어넘어 조용필은 '바람'에 신정한 존재의 위상을 부여하였다. 이제 '바람'은 스스로 '말'을 하고 '노래'를 부른다. 그 안에는 쓸쓸하고 고통스럽지만 따뜻하고 사랑스러운 삶의 역설적 지혜가 담겨 있다. 그때 비로소 바람의 '말'과 '노래'는 스스로 경전이 되어 우뚝 선다. 지금도 조용필은 다음과 같이 우리에게 속삭이고 외치고 또 건네고 있다. "바람의 말에 귀 기울이고 바람의 노래를 들어라."라고.

서정적이고 인생론적인 노래들

'바람'은 어디서 와서 어디로 가는지 알 수 없는 자유로움과 정처 없음, 그리고 외부로부터 다가오는 정체 모를 두려움, 새로운 희망을 불러일으키는 신성(神聖)함 등으로 줄곧 비유되어온 자연 사물의 대표 격이다. "바람처럼 왔다가 이슬처럼 갈 순 없잖아."(〈킬리만자로의 표범〉)에서의 자유로움, "바람아 멈추어라 촛불을 지켜다오."(〈촛불〉)에서의 두려움 같은 것을 우리는 이미 보았거니와, 조용필 노래에서도 '바람'은 강렬한 배경이자 지향이자 시적 원리로 존재한다. 어쩌면 조용필의 생애 전체가 바람과도 같지 않았을까 생각해본다. 물론 여기서는 그 유동성보다는 거대한 흐름으로 존재하면서 어떤 신성함을 획득해가는 조용필의 노래 여정을 강조하려는 것이다.

일찍이 프랑스 상징파 시인 발레리가 지은 「해변의 묘지(Le cimetiere marin)」의 마지막 연 첫 행에는 "바람이 분다! …… 살아봐야겠다!(Le vent se leve! Il faut tenter de vivre!)"라는 유명한 구절이 적혀 있다. 비관주의자의 입지에서 훌쩍 벗어나보려는 어떤 안간힘을 통해 발레리는 "세찬 마파람은 내 책을 펼치고 또한 닫으며,/물결은 분말로 부서져 바위로부터 굳세게 뛰쳐나온다./날아가거라. 온통 눈부신 책장들이여!/부숴라, 파도여! 뛰노는 물살로 부숴 버려라/돛배가 먹이를 쪼고 있던 이 조용한 지붕을!"이라고 노래하면서, 바람이 일으키는 역동성을 통해 단단한 각질로 굳어져가는 일상에 창조적 균열을 일으킨 바 있다. 이때 '바람'은 역동적인 희망의 계기가 되어 시인 스스로에게 크나큰 격려와 위안이 되어주었을 것이다. 그런가 하면 밥 딜런이 1963년에 발표한 불멸의 노래 〈Blowin' in the Wind〉도 전쟁의 잔혹함과 덧없음을 어서 끝내야 하는데 그 대답은 바람만이 알고 있다고 함으로써 '바람'에 신성에 가까운 힘을 부여한 바 있다. 조용필에게는 '바람'을 표제로 한 두 편의 대표 곡이 있다. 서정적이고 인생론적인 가사로 이루어진 이 곡들은 '시인 조용필'의 이미지를 확연하게 착색한 그야말로 신성하기 그지없는 영적 노래이기도 하다.

'착한 당신'에게 건네는 말

1985년 11월 15일 발매된 조용필 8집에는 지금 보아도 화려한 그의 히트곡들이 많이 실려 있다. 〈허공〉, 〈킬리만자로의 표범〉, 〈그 겨울의 찻집〉, 〈내 청춘의 빈잔〉, 〈상처〉, 〈바람이 전하는 말〉 등 우리의 기억 속에서나 현재 노래방에서나 선호도에서 선두권을 차지하는 조용필 대표곡 모음집 같기도 하다. 특별히 김정수의 노래를 리메이크한 〈내 마음 당신 곁으로〉는 조용필의 곡 해석력과 가창력을 다시 한 번 입증하기도 하였다. 이 8집은 양인자, 김희갑 부부가 작사하고 작곡한 노래들을 조용필이 부름으로써 한 시대의 명곡들을 생산하기 시작한 출발점이기도 했는데, 조용필의 활짝 웃는 모습이 트레이드마크처럼 따라 붙은 앨범이기도 하다. 그 가운데 〈바람이 전하는 말〉은 가장 시적인 노랫말로 지금도 사람들의 폭넓은 사랑을 받고 있다. 양인자 작사, 김희갑 작곡이다.

내 영혼이 떠나간 뒤에
행복한 너는 나를 잊어도
어느 순간 홀로인 듯한
쓸쓸함이 찾아올 거야
바람이 불어오면 귀 기울여 봐
작은 일에 행복하고 괴로워하며

고독한 순간들을
그렇게들 살다 갔느니
착한 당신, 외로워도
바람 소리라 생각하지 마

너의 시선 머무는 곳에
꽃씨 하나 심어 놓으리
그 꽃나무 자라나서
바람에 꽃잎 날리면
쓸쓸한 너의 저녁 아름다울까
그 꽃잎 지고 나면 낙엽의 연기
타버린 그 재 속에
숨어 있는 불씨의 추억
착한 당신, 속상해도
인생이란 따뜻한 거야

　제목에서 알 수 있듯이, 이 노래의 화자는 '바람'이다. 지상을 떠
난 한 영혼이 '바람'이 되어 지상의 남은 이에게 들려주는 사랑
의 노래인 셈이다. 지상에는 여전히 "행복한 너"가 살고 있다. '너'
는 '나'를 잊어가지만 어느 순간 갑작스레 찾아오는 "홀로인 듯한/
쓸쓸함"을 맞을 것이고, '나'는 그때 불어오는 바람의 말에 귀 기울

여 보라는 말을 건넨다. 누구나 작은 일에 행복하고 괴로워했고, 고독하고 쓸쓸한 순간들을 살다 가는 것, 하지만 '바람'은 지상에 남은 이에게 "착한 당신"이라는 기막힌 2인칭을 부여하면서 비록 외로워도 이러한 깨달음을 그저 지나가는 바람 소리라고만 생각하지 말라고 당부한다. 2절로 들어가면 이 노래는 어떤 영적 분위기를 띠어 가는데, 지상을 떠난 바람이 "너의 시선 머무는 곳에/꽃씨 하나 심어" 놓겠다고 말하기 때문이다. 이제 바람이 뿌려놓은 '꽃씨'는 어느새 자라서 '꽃나무'가 되고, 바람에 꽃잎 날리면 "쓸쓸한 너의 저녁"을 아름답게 하며 떨어져 사라져갈 것이다. 그것들을 모아 낙엽을 태울 때 생겨나는 '연기'야말로, '바람'의 변형체이면서 동시에 '나'와 '너'를 묶는 연기(緣起)가 아닐 것인가. 모든 것이 타고 남은 "재 속에/숨어 있는 불씨의 추억"은 "착한 당신"과 지상에서 나눈 시간일 것이고, 또 영원히 이어져갈 기억의 힘이기도 할 것이다. "속상해도/인생이란 따뜻한 거야"라는 구절은 이 노래의 대미를 장식하는 인생론인데, 차가운 것이 아니라 따뜻한 바람처럼 다가와 인생의 외로움과 쓸쓸함, 따뜻함을 모두 전해준 '바람'의 말에 시간이 갈수록 사람들은 귀기울여갈 것이다. 덧붙이자면 이 노래는 마종기 시인의 작품 「바람의 말」과의 유사성 때문에 여러 논의가 있었다고 한다. 광범위한 영향을 인정할 수 있고, 또 어떤 어휘는 정확하게 재현되고 있기도 하지만, 시인의 양해 하에 독립된 노래로 우리의 가슴 속에 남게 되었다. 그래서 우리는 쓸쓸한 저녁에 불어오는 '바람이 전하는 말'을 오랫동안 오롯이 들을 수 있을 것이다.

이 세상 모든 것들을 사랑하겠네

〈바람이 전하는 말〉을 발표한 지 꼭 10년 후 조용필은 자신의 16집 앨범 『Eternally』에 〈바람의 노래〉라는 곡을 싣는다. '바람'은 누군가에게 말을 건네는 존재에서, 이제 스스로 노래 부르는 존재가 된다. 바람이 부르는 이 노래의 핵심어는 '사랑'이다. 모든 존재자들을 향한 한없는 사랑으로 확장해가는 조용필의 애잔하고도 힘 있는 목소리가 언제나 선하기만 하다.

살면서 듣게 될까 언젠가는
바람의 노래를
세월 가면 그때는 알게 될까.
꽃이 지는 이유를
나를 떠난 사람들과 만나게 될
또 다른 사람들
스쳐가는 인연과 그리움은
어느 곳으로 가는가.
나의 작은 지혜로는 알 수가 없네.
내가 아는 건 살아가는 방법뿐이야.

보다 많은 실패와 고뇌의 시간이

비켜갈 수 없다는 걸 우린 깨달았네.

이제 그 해답이 사랑이라면

나는 이 세상 모든 것들을 사랑하겠네.

나를 떠난 사람들과 만나게 될

또 다른 사람들

스쳐가는 인연과 그리움은

어느 곳으로 가는가.

나의 작은 지혜로는 알 수가 없네.

내가 아는 건 살아가는 방법뿐이야.

보다 많은 실패와 고뇌의 시간이

비켜갈 수 없다는 걸 우린 깨달았네.

이제 그 해답이 사랑이라면

나는 이 세상 모든 것들을 사랑하겠네.

보다 많은 실패와 고뇌의 시간이

비켜갈 수 없다는 걸 우린 깨달았네.

이제 그 해답이 사랑이라면

나는 이 세상 모든 것들을 사랑하겠네.

나는 이 세상 모든 것들을 사랑하겠네.

이 세상 모든 것들을 사랑하겠네.

조용필의 초기작 〈고추잠자리〉, 〈못 찾겠다 꾀꼬리〉 등을 지은 김순곤이 오랜만에 작사한 노래이다. 작곡은 김정욱이 맡았고 조용 필이 직접 편곡하였다. 위에서 만난 '바람이 전하는 말'을 더욱 역 동화한 '바람의 노래'를 우리는 살아가면서 언젠가 듣게 될 것이다. 그리고 그때는 "꽃이 지는 이유"를 알게 될 것이다. 오래전에 조지 훈은 "꽃이 지기로소니 바람을 탓하랴"(「낙화」)라고 했는데, 그만큼 바람이 불어오는 것과 꽃이 지는 것 사이에는 인과론이 깊이 새겨 져 있다. 바람이 불어왔으니까 꽃이 지는 이유를 알게 된 '나'는 "나 를 떠난 사람들과 만나게 될/또 다른 사람들"이 함께 나누고 또 나 누어갈 "인연과 그리움"을 생각한다. "작은 지혜"로 가둘 수밖에 없었던 "많은 실패와 고뇌의 시간"은, 우리에게 살아가는 방법과 함 께 삶의 "해답이 사랑"이라는 걸 알게 해주었고, 또 "나는 이 세상 모든 것들을 사랑하겠네."라는 생각에 이르게끔 한다. 모든 것이 서 로 연결되어 있고, 모든 것은 '사랑'을 통해 "인연과 그리움"을 완성 해간다는 아름다운 사연을 바람이 들려준 것이다. 반복되는 "나를 떠난 사람들과 만나게 될/또 다른 사람들/스쳐가는 인연과 그리움" 에 대한 새삼스러운 강조는 "이제 그 해답이 사랑이라면/나는 이 세상 모든 것들을 사랑하겠네."라는 뚜렷한 자각에 이르는 성장통 (痛)이요 필연적인 통과의례였다고 할 수 있을 것이다. 이렇게 '바람'은 세상에 편재(遍在)하는 뭇 존재자들에 대한 사랑으로 조용필을 한사코 데려간다. '착한 당신'에게 삶의 따뜻함을 애절하게 전하던 '바람'은 이제 모든 것들에 대한 사랑의 노래를 부른다. '말=노래'의 주어인 '바람'의 따뜻하고도 아름다운 사랑의 전언(傳言)이 조용필만의 브랜드로 남게 된 것이다.

신성한 존재로서의 '바람'의 말과 노래

'바람'은 문학적 상징으로 다양하게 쓰이고 있다. 관습적 상징으로 보면 '바람'은 주로 시련과 고난의 상징으로 활용되고 있다. 윤동주가 연희전문학교 졸업반 때 직접 묶은 시집 『하늘과 바람과 별과 詩』(1941)에 실린 서시 격의 작품을 보면 "오늘밤에도 별이 바람에 스치운다."라는 명구가 나오는데, 여기서 '바람'은 고난과 시련과 힘겨운 방황의 가능성을 뜻하고 있으며, 서정주의 첫 시집 『화사집』(1941)의 첫 작품 「자화상」에서도 "나를 키운 것은 팔 할이 바람"이라고 하여 그 의미에 흔연히 동참하고 있다.

한편 '바람'은 어떤 윤리적인 지향으로 쓰이기도 한다. 가령 공자의 『논어』 안연 편에서는 군자의 덕에 소인들이 감화되는 것을 바람이 불어 풀이 눕는 것으로 비유하기도 한다. 이 장면은 김수영의 시 「풀」에 고스란히 재현된다. 그런가 하면 '바람'은 불경에 나오는 '무소의 뿔처럼 혼자서 가라. 그물에 매이지 않는 바람과 같이'에서 보듯이 한없는 자유로움의 의미로 쓰이기도 한다. 또한 꿈의 해석에서도 '바람'은 대부분 고난과 시련의 함의로 쓰인다. 하지만 언덕 위에서 불어오는 따뜻한 생명의 기운으로 나타나기도 한다.

이 모든 원형상징의 권역을 뛰어넘어 조용필은 '바람'에 신성한 존재의 위상을 부여하였다. 이제 '바람'은 스스로 '말'을 하고 '노래'를 부른다. 그 안에는 쓸쓸하고 고통스럽지만 따뜻하고 사랑스러운 삶의 역설적 지혜가 담겨 있다. 그때 비로소 바람의 '말'과 '노래'는 스스로 경전이 되어 우뚝 선다. 지금도 조용필은 다음과 같이 우리에게 속삭이고 외치고 또 건네고 있다. "바람의 말에 귀 기울이고 바람의 노래를 들어라."라고.

7.
고독의 창법,
조용필

Without great solitude, no serious work is possible
– Pablo Ruiz Picasso

사랑한 친구도 있었고 임도 있었지만 그들은 모두 떠나 버리고 홀로 남아 "인생이란 고독한 길을 뛰어"가는 동안, 시작도 마지막도 알려주지 않는 "사랑도 미움도 스쳐간 길/꿈 속에 보이는 고독한 길"에서, 러너는 지쳐 쓰러져도 "푸른 바다에 파도가 되어" 달라가겠다고 한다. "인생이란 머나먼 길"에 "고독한 러너"가 되어서 말이다. 쉼이 주는 평화와 안식을 짐짓 등지고 지쳐 쓰러져도 달려가겠다는 굳은 다짐은, 외로워하지 말라고 위안하던 목소리로부터 더욱 역동성을 얻어, 스스로 "푸른 바다에 파도"로 몸을 바꾸는 모습을 취해간다. 그 순간, 우리도 그를 따라 인생이란 머나먼 길을 나선 "고독한 러너"가 되어가지 않는가. '아침햇살'과 '저녁노을'이 솟고 지는 순간의 반복인 인생에서 어디까지나 언제까지나 뛰어가겠다는 의지의 강렬함과 지속성이 "산에서 만나는 고독과 악수하며 그대로 산이 된들 또 어떠리."(〈킬리만자로의 표범〉) 하고 외쳤던 그 에너지 그대로를 품은 채 한없이 반겨간다.

고독 속에서의 '위대한 탄생'

조용필은 특정 장르를 훌쩍 넘어서는 가수이자 장르마다 자신만의 음색을 극점에서 구가한 최첨단의 아방가르드다. 그의 목소리는 락이나 민요를 바탕으로 한 굵은 음역(音域)에서 발원하여, 트로트면 트로트, 발라드면 발라드, 댄스나 동요면 그것들대로 한없이 질주해간다. 80년대 초에 그가 한동안 불렀던 캐럴도 아직 귀에 선하다. 그러고 보니 조용필이 모든 장르를 섭렵했던 것이 아니고, 조용필 스스로 독립 장르가 된 것 같기도 하다. 어쨌든 그의 노래는 존재 가능한 거의 모든 장르를 모아놓은 가요사의 대 집성(集成)이 아닐 수 없다. 물론 한 장르에서 지속적 성취를 보인 입장에서 보면, 다른 장르에 힘겹게 적응하고 또 거기서 예외 없이 탁월한 능력을 보여준 조용필의 행보는 신비로울 수도 있겠다. 하지만 조용필은 자신이 보여준 광폭의 발걸음에 대해 이렇게 말한다.

음악은 아이디어, 영감 등이 중요한 것이지 자기 삶이 순탄치 않고 좀 그렇다 해서 음악에 연관시키는 것은 아니라고 생각해요. 가수는 한 명의 엔터테이너이고 노래 연기자입니다. 가수로서 인정받으려면 젊은 층에서부터 노년 팬까지 좋아할 수 있도록 민요도 할 줄 알아야 한다고 생각합니다. 언젠가는 내 장르로 들어가겠지만 내 삶을 곡으로 만드는 일은 없을 것 같아요. 나는 대중이 '저것은 바로 내 노래야'라고 느끼는 노래를 부르고 싶습니다.

이처럼 누구보다도 높은 평판을 받는 예술인이고 또 스스로 매우 친화적인 대중적 흡인력을 가졌던 조용필이지만, 그의 음악 저류(底流)에 선명하게 흐르던 것은 아이러니컬하게도 깊디깊은 '고독'이었다. 그는 파블로 피카소가 갈파한 것처럼, 커다란 고독 속에서 가장 '위대한 탄생'을 해간 예술인이다. 그 간단없는 고독의 시간으로, 쓸쓸한 오롯함의 힘으로, 그는 반세기 동안 노래를 불렀고 또 지금도 부르고 있는 것이다.

외로움을 넘어, 영원의 사랑으로

1980년은 지금 생각해보아도, 군부 권력의 잔혹한 탄생과 조용필의 위대한 탄생이 엇갈린 해로 기록될 것이다. 〈촛불〉을 타이틀곡으로 한 1980년의 앨범에 수록된 조용필의 간절한 노래 가운데 〈외로워 마세요〉가 있는데, 조용필은 외로움을 노래하면서도 그 외로움을 헤어짐의 조건으로 삼지 않으려는 의지를 내비친다. 가령 그는 여기서 사랑의 아름다움과 함께 삶이 앞으로 나아가는 것이 아니라 끊임없이 서성거리며 반추하는 것임을 '남은 자'의 목소리로 노래한다. 한 시대의 주변과 외곽을 자임하면서 탄탄대로가 아닌 오솔길의 숨쉴 만함을 노래한다. 그의 강렬한 허스키 보이스를 들어보자.

> 외로워 마세요.
> 그대 곁에 내가 있어요.
> 물밀듯 다가오는 지난 추억이
> 지금도 아름다워요.
> 이 밤이 새고 나면 가야 하지만
> 그것을 이별이라 하지 말아요.
> 언제 어느 곳에 가더라도
> 우리 마음 함께 있으니

그대 그대 정말 외로워 마세요.

외로워 마세요.
그대 곁에 내가 있어요.
물밀듯 다가오는 지난 추억이
지금도 아름다워요.
이 밤이 새고 나면 가야 하지만
그것을 이별이라 하지 말아요.
언제 어느 곳에 가더라도
우리 마음 함께 있으니
그대 그대 정말 외로워 마세요.

박건호가 작사하고 김영광이 작곡한 이 노래는, 사랑하는 대상
을 향한 간절한 호소의 어조로 짜여져 있다. 외로움을 안고 살아가
는 '그대'에게 "물밀듯 다가오는 지난 추억"의 힘으로 영원히 곁에
있겠다는 다짐과 고백을 이어간다. 거듭 외로워하지 말라는 전언
을 통해 이 노래는 떠나감이 곧 영원한 이별은 아니라는 것, 그리
고 "언제 어느 곳에 가더라도/우리 마음 함께" 있다는 것을 반복적
으로 말함으로써 외로움이 '그대'와 '나'에게만 찾아오는 몫이 아님
을 들려준다. 이처럼 단순한 노랫말에 실린 것은, 외로움이라는 경
험을 서로에 대한 믿음과 그리움으로 넘어서면서 사랑의 지속성을

가질 수 있다는 다짐인 셈이다. 이별이라는 경험을 초월하는 영원한 사랑을 아름답게 받아들이는 순간이 그 안에 있는 것이다. 이는 그리움의 서정을 한껏 아름다운 형상으로 전이시킨 예술적 결정(結晶)으로 보아도 좋을 것이다.

밤이 지나면 서로 떠나야 하는 상황에도 불구하고 내면에서 발화하는 영원의 사랑을 '정말'이라는 단어를 통해 증폭시키면서, 이 노래는 세상 사람들에게 '외로움'이 우리를 감싼다 하더라도 우리는 따뜻하게 서로를 안아들일 것임을 강조한다. 다른 곡에서 "귓가에 그대의 속삭임 외로움의 시작"(〈연인의 속삭임〉)이라고 말한 것처럼, 조용필은 사랑의 과정에 필연적으로 '외로움'이 따른다는 것과, 결국 그것을 넘어서는 힘이 사랑 안에 흐르고 있음을 노래한 것이다. 과연 누구라서 외롭지 않겠는가. 누구라서 이 힘겨운 세상에서 '그대'와 영원히 함께할 수 있겠는가. 우리는 조용필이 "외로워 마세요. 그대 곁에 내가 있어요."라고 부르는 노래 속에서 가없이 커다란 위안과 함께 상상적인 '영원의 사랑'을 축조할 뿐이다. 그대, 정말, 외로워 마세요.

고독, 예술적 존재의 거소(居所)

이제 조용필은 '외로움'을 넘어 삶의 근원적 '고독'을 발견하고 채택하고 그것을 배치해간다. 곽태요가 노랫말을 쓰고 조용필이 직접 곡을 입힌 〈고독한 러너〉(1992)는 그 대표 격이다. 곽태요는 조용필의 또 다른 히트곡 〈슬픈 베아트리체〉를 작사하기도 했다. 이 노래에서 빛을 발하는 '고독'의 빛깔은 고요 속에서 삶을 투명하게 응시하게 하는 긴장 같은 것을 두르고 있다. 그렇게 삶을 바라보고 또 달려가는 형상으로서의 '고독한 러너'는 조용필 자신의 생애를 압축적으로 보여주게 된다.

어느 하늘에 꿈이 있을까
어느 바다에 사랑 있을까
꿈을 찾아 사랑 찾아 뛰어가네.

어두운 밤에 숲속을 지나
비 바람 부는 언덕을 넘어
낯설은 거리 낯선 시간을 뛰어가네.

서로 사랑한 친구가 있었네.
내가 사랑한 임도 있었네.

이제는 모두 떠나버리고 홀로 남아
시작이라는 신호도 없고
마지막이란 표시도 없이

인생이란 고독한 길을 뛰어가네.

사랑도 미움도 스쳐간 길
꿈속에 보이는 고독한 길 헤헤

지쳐 쓰러져도 달려가리라 푸른 바다에 파도가 되어
우리 인생이란 머나먼 길에 나는 고독한 러너가 되어

지쳐 쓰러져도 달려가리라 푸른 바다에 파도가 되어
우리 인생이란 머나먼 길에 나는 고독한 러너가 되어

지쳐 쓰러져도 달려가리라 나는 고독한 러너가 되어

아침햇살에 솟아오르고 저녁노을에 지는 날까지
어디까지나 언제까지나 뛰어가리.

　일찍이 시인 김소월은 대표작 「산유화(山有花)」에서 "저만치 혼자
서 피어" 있는 꽃을 노래함으로써 삶의 불가피한 고독의 형상을 아
름답게 남겼다. 그 고독은 너무나도 정적인 것이어서 우리는 그 작
품에서 견고한 고독의 물질성을 보는 듯했다. 그런데 조용필은 그
고독에 역동성을 부여하여 그것이 '꿈'과 '사랑'을 가능케 한 삶의

불가피한 조건임을 못박는다. 그렇게 하늘로 바다로 '꿈'과 '사랑'을 찾아 끝없이 뛰어가는 '고독한 러너'는, 생의 열정을 다해 살아가는 이들의 일반론이기도 하겠지만, 정말 끝없이 뛰어온 조용필의 일생을 나타내는지도 모른다. 조용필은 후기로 갈수록 자전적인 노래를 많이 불렀는데, 이 또한 그 핵심 사례가 아닐 수 없을 것이다. 어둡고 바람 부는 숲과 언덕을 지나 쉼 없이 낯선 거리와 시간을 뛰어가는 러너의 모습은, 그 자체로 조용필의 생애를 비근하게 은유하고 있지 않은가.

　사랑한 친구도 있었고 임도 있었지만 그들은 모두 떠나버리고 홀로 남아 "인생이란 고독한 길을 뛰어"가는 동안, 시작도 마지막도 알려주지 않는 "사랑도 미움도 스쳐간 길/꿈속에 보이는 고독한 길"에서, 러너는 지쳐 쓰러져도 "푸른 바다에 파도가 되어" 달려가겠다고 한다. "인생이란 머나먼 길"에 "고독한 러너"가 되어서 말이다. 쉼이 주는 평화와 안식을 짐짓 등지고 지쳐 쓰러져도 달려가겠다는 굳은 다짐은, 외로워하지 말라고 위안하던 목소리로부터 더욱 역동성을 얻어, 스스로 "푸른 바다에 파도"로 몸을 바꾸는 모습을

취해간다. 그 순간, 우리도 그를 따라 인생이란 머나먼 길을 나선 "고독한 러너"가 되어가지 않는가. '아침햇살'과 '저녁노을'이 솟고 지는 순간의 반복인 인생에서 어디까지나 언제까지나 뛰어가겠다 는 의지의 강렬함과 지속성이 "산에서 만나는 고독과 악수하며 그 대로 산이 된들 또 어떠리."(〈킬리만자로의 표범〉) 하고 외쳤던 그 에 너지 그대로를 품은 채 한없이 번져간다.

아닌 게 아니라 조용필은 다른 노래에서도 "그리움 보낸 저기 저 편에는 고독이 홀로 쓸쓸히 서 있고"(〈그리움의 불꽃〉), "노을이 남기 고 간 짙은 고독"(〈그 또한 내 삶인데〉)이 후경(後景)처럼 자신을 두르 고 있음을 알아간다. 그래서 '고독'은 그에게 모든 예술적 모티프 의 원천이요 궁극이었던 셈이다. 일찍이 괴테도 "영감은 오직 고독 속에서 얻을 수 있다."라고 하지 않았던가. 이처럼 '고독(solitude)' 은 외따롭게 혼자 버려져 있는 감각적 쓸쓸함으로서의 '외로움 (loneliness)'하고는 질적으로 다른 것이다. 그것은 단독자로서 살아 가는 인간의 실존에 대한 자각을 의미하는 개념이기 때문이다. 다 른 생명들과는 달리 인간만이 고독한 존재라는 것을 앎으로써 세 계와 자신을 인식할 수 있지 않는가. 물론 고독은 홀로 있음의 의미 를 띤다. 하지만 이를 '고립자'와 '단독자'로 나누어보면, 고립자는 기질적 문제에 속하며 단독자는 인간으로서의 불가피한 실존적 조 건이 된다. 그 점에서 '고독'은 예술적 존재의 필연적 거소(居所)가 될 수밖에 없다.

문학으로 읽는 조용필

고독의 정점에서 달리는 예술

일찍이 키에르케고르는 고독 속에서 타자와의 참된 관계를 설정하였다. 그에 의하면 단독자는 모든 사람들 속의 단 한 사람을 의미함과 동시에 만인을 의미하기도 한다. 이때 단독자의 고독은 고립되고 절망적인 외로움 같은 차원의 것이 아니다. 오히려 고독에 깊이 들어간 세계에서 새로 발견하는 탄생의 기쁨을 마주하게 되는 것이다. 그렇게 조용필의 노래는 고독의 정점에서 달리는 양도할 수 없는 고유한 예술이다. 누군가에게는 외로워하지 말라는 한없는 위안을 주면서, 스스로에게는 지쳐 쓰러져도 고독하게 달리라는 끝없는 암시를 주는 고독의 창법에서, 우리도 크나큰 위안과 격려를 얻는다. 세상을 향해 외치는 고독한 함성이 되어 달려가는 황혼의 위대한 예술가가 저기 선연하게 보이지 않는가.

8.
트로트의 정점, 조용필

우리 가요의 장(場)에서 트로트의 위상은 매우 크고 또 특별하다. '뽕짝'이라는 이름으로도 널리 일컬어지는 '트로트(Trot)'는 사실 일제강점기에 형성된 우리 대중가요 양식이다. 그래서 한편에서는 전통가요라고 칭해지기도 하고, 또 한편으로는 수입가요라는 핀잔을 듣기도 한다. 역사적으로 보면 일본은 서양의 팍스 트롯(fox trot)을 받아들여 도롯도로 변용하였는데 우리 나라에 그것이 들어와 한 시대를 수놓았던 것이다. 우리 것이 3박자 넷을 한 절로 삼는 심분박인 데 비해, 일본 도롯도는 4분의 2박자나 4박자에 일곱 글자와 다섯 글자를 한 단위 한 절로 삼는 칠오조 가사를 주로 썼다. 말도 박도 율도 달랐지만 이 새로운 양식은 우리 창작 대중가요의 주류로 곧 자리를 잡게 되었다. 초기에는 일본 곡을

변안하여 부르다가 1930년 전후로 국내 창작이 본격화하였는데, 그 당시에는 특별한 양식 명칭 없이 그냥 '유행가'나 '유행소곡' 정도로 불렀다. 이때로부터 한국 가요사에는 '트로트'와 '신민요'가 양대 축을 이루게 된다. 신민요 가수로 유명했던 강홍식은 배우 강효실의 부친이요 배우 최민수의 외조부이다. 시인 유도순과 강홍식이 콤비를 이루어 신민요로 대중들의 인기를 끌었는데, 유도순의 걸작 〈시골 영감〉은 지금도 유명하게 전해지고 있다.

보편적 슬픔의 노래

　우리 가요의 장(場)에서 트로트의 위상은 매우 크고 또 특별하다. '뽕짝'이라는 이름으로도 널리 일컬어지는 '트로트(Trot)'는 사실 일제강점기에 형성된 우리 대중가요 양식이다. 그래서 한편에서는 전통가요라고 칭해지기도 하고, 또 한편으로는 수입가요라는 핀잔을 듣기도 한다. 역사적으로 보면 일본은 서양의 팍스 트롯(fox trot)을 받아들여 도롯도로 변용하였는데 우리 나라에 그것이 들어와 한 시대를 수놓았던 것이다. 우리 것이 3박자 넷을 한 절로 삼는 삼분박인 데 비해, 일본 도롯도는 4분의 2박자나 4박자에 일곱 글자와 다섯 글자를 한 단위 한 절로 삼는 칠오조 가사를 주로 썼다. 말도 박도 율도 달랐지만 이 새로운 양식은 우리 창작 대중가요의 주류로 곧 자리를 잡게 되었다. 초기에는 일본 곡을 번안하여 부르다가 1930년 전후로 국내 창작이 본격화하였는데, 그 당시에는 특별한 양식 명칭 없이 그냥 '유행가'나 '유행소곡' 정도로 불렸다. 이때로부터 한국 가요사에는 '트로트'와 '신민요'가 양대 축을 이루게 된다. 신민요 가수로 유명했던 강홍식은 배우 강효실의 부친이요 배우 최민수의 외조부이다. 시인 유도순과 강홍식이 콤비를 이루어 신민요로 대중들의 인기를 끌었는데, 유도순의 걸작 〈시골 영감〉은 지금도 유명하게 전해지고 있다.

우리가 트로트의 걸출한 사례를 나열한다면 그것은 한국 가요사를 그대로 옮겨놓은 듯한 빛나는 성좌를 이룰 것이다. 1930년대 작품인 이애리수의 〈황성옛터〉, 고복수의 〈타향살이〉, 이난영의 〈목포의 눈물〉, 백년설의 〈나그네 설움〉 등은 그 가운데서도 빼어난 대표 곡들이다. 대체로 트로트 가사는 남녀 간의 사랑과 이별, 혹은 신파적 요소를 품은 그리움과 향수(鄕愁) 그리고 자기 연민의 태도를 기반으로 했다. 애절한 슬픔의 노래일 경우가 많았는데, 전수린, 손목인, 박시춘, 김해송 등의 작곡가가 트로트의 음악적 차원을 한 단계 높여주었다. 김해송은 이난영의 남편이었다. 해방 후에도 이미자, 남진, 나훈아, 배호, 하춘화 등으로 이어진 트로트 양식은 더욱 큰 폭으로 대중들에게 다가갔다. 이때 박춘석이 불멸의 작곡가로 이름을 남겼다. 그러다가 1976년 조용필의 〈돌아와요 부산항에〉에 와서 트로트는 다시 대중가요의 전면에 서게 되고, 조용필은

〈미워 미워 미워〉, 〈허공〉 등을 통해 트로트 장르에서도 정점에 서게 된다. 트로트에 대해 일부에서는 지나친 애수의 감정을 담고 있기 때문에 퇴폐적이고 불건강하다는 비판이 이루어졌지만, 한편으로는 인간의 보편적 슬픔을 담아낸 양식적 특성을 보인다는 긍정적 평이 따라붙기도 했다. 조용필의 노래는 바로 그 슬픔을 향한다.

'못 잊음'의 역설적 미학

조용필 3집 앨범 타이틀곡인 〈미워 미워 미워〉는 정욱 작사, 정풍송 작곡의 노래이다. 정풍송은 1941년 경남 밀양에서 태어나 서라벌예술대학에서 작곡을 전공하였고, 우리 가요사에 한상일의 〈웨딩드레스〉, 이상열의 〈아마도 빗물이겠지〉, 홍민의 〈석별〉, 조영남의 〈옛 생각〉 등 명곡들을 남긴 분이다. 그런데 작사가 정욱은 누구인가? 정풍송은 작곡할 때에는 자신의 본명을 썼고, 작사가로 이름을 낼 때는 따로 예명인 '정욱'을 썼다. 결국 정욱과 정풍송은 동일인인 셈이다. 그가 두 개의 이름을 쓴 것은 작사가, 작곡가, 편곡자로 많은 활동을 했지만 돌아오는 대가가 너무 작았기 때문이라고 한다. 2집 이후 8개월 정도밖에 지나지 않은 1981년 7월에 발매한 조용필 3집에 정풍송은 〈미워 미워 미워〉를 준다. 이 노래는 조용필이 얼마나 위대한 트로트 가수인가를 증명해낸 명곡이다. 아닌 게 아니라 이 음반은 A면과 B면으로 정확히 구분되어 다른 음악적 차원을 구축했는데, 가령 A면은 〈일편단심 민들레야〉, 〈황성옛터〉 등 트로트 곡으로만 엄선했고, B면은 록을 비롯한 다양한 장르로 구성했던 것이다. A면을 빛나게 한 트로트의 절창은 단연 〈미워 미워 미워〉였다.

나뭇잎이 떨어져 바람결에 뒹굴고
내 마음도 갈 곳 잃어 낙엽 따라 헤매네
잊으라는 그 한 마디 남기고 가버린
사랑했던 그 사람 미워 미워 미워
잊으라면 잊지요 잊으라면 잊지요
그까짓 것 못 잊을까 봐.

이슬비가 내리네 소리 없이 내리네
님을 잃은 내 가슴을 하염없이 적시네
잊으라는 그 한 마디 남기고 갈 바엔
사랑한다 왜 그랬나요 미워 미워 미워
잊으라면 잊지요 잊으라면 잊지요
그까짓 것 못 잊을까 봐.

일찍이 우리 문학사에서 '잊음/못 잊음'이라는 양자택일의 기로에서 대상에 대한 항구적인 '못 잊음'을 노래한 시인은 김소월과 한

용운이다. 소월은 "오늘도 어제도 아니 잊고/먼훗날 그때에 〈잊었노라〉"("먼 후일」)라고 노래하고, 만해는 "구태여 잊으려면/잊을 수가 없는 것은 아니지만/잠과 죽음뿐이기로/님 두고는 못하여요"("나는 잊고저」)라고 노래함으로써, 이들은 2인칭에 대한 불멸의 '잊을 수 없음'을 특유의 역설(逆說)로 표현하였다. 조용필의 간절하고도 폭발적인 목소리 역시 잊으라는 한 마디 남기고 떠난 이를 향해 결코 잊지 못하겠다는 말을 "잊으라면 잊지요 잊으라면 잊지요/그까짓 것 못 잊을까 봐"라는 반어적 외침으로 표현한다. 어찌 잊을 수가 있겠는가. 여기서 '나뭇잎(낙엽)'은 수척하게 남은 이의 이미지를 환기하고 있고, '바람결/이슬비'는 남겨진 자의 마음을 뒹굴게 하고 젖게끔 하는 역할을 수행한다. 바람 불고 비 오는 가을 풍경 속에서 남겨진 자의 마음은 갈 곳을 잃고, 그는 "잊으라는 그 한 마디 남기고 가버린/사랑했던 그 사람"을 향해 "미워 미워 미워"라는 반어적 사랑 노래를 부르고 있을 뿐이다. 어디 밉기만 하겠는가.

음악평론가 임진모는 이 곡을 두고 "〈미워 미워 미워〉를 통해 사람들은 숨 막히는 두려운 시대상황에 대한 어느 정도의 '한풀이'를 한 것이 아닌가 생각합니다. 전두환 대통령 시대가 반대급부로 조용필의 소리, 저의 외침을 더 리얼하게 만들었다고 할 수 있지요."라고 말함으로써 이 노래가 한 시대에 대응하는 역할을 했다고 분석한 바 있다. 그러고 보니 무려 백만 장이 팔린 조용필 3집 앨범 표지에는 우수에 가득찬 조용필의 모습이 이색적이다. 다른 앨범처럼 활짝 웃거나 열창하는 모습을 담지 않고 한 시대의 비극성을 유추하게끔 하는 분위기를 풍기는 표정이 그의 귀를 가린 장발과 어울리고 있다. 어쨌든 이 노래는 간명하게 마무리되는 "그까짓 것 못 잊을까 봐"라는 종결 어사를 통해 대상을 향한 강한 항구적 열망과 그리움을 들려주었다. 그리고 〈미워 미워 미워〉는 그 인기의 연장선상에서 같은 이름의 영화로도 제작되었는데, 최동준 감독, 이희우 각본으로 현진필름에서 제작하였다. 음악은 정풍송이 맡았다. 음반 나온 지 얼마 안 되는 1982년 11월 27일 개봉하였고 당시 최고주가를 날리던 임동진과 안소영이 주연을 맡은 멜로물이었다. 노래의 인기를 못 따라가고 영화는 흥행에 실패했다.

허공 속에 묻힐 그 약속

역시 정욱 작사, 정풍송 작곡으로 대중들의 뇌리를 떠나지 않는 노래는 〈허공〉일 것이다. 〈비 오는 거리〉(5집, 1983), 〈네 입술에 그대 눈물〉(6집, 1984)도 정풍송이 만들어 조용필에게 건넨 작품들이지만, 대중적 인지도와 영향력에서 〈허공〉은 단연 압도적이다. 이 노래는 1985년에 발매된 조용필 8집의 타이틀곡이다. 이 앨범은 조용필의 대표곡 〈킬리만자로의 표범〉, 〈바람이 전하는 말〉, 〈그 겨울의 찻집〉, 〈상처〉 등을 수록하여 그야말로 황금 앨범으로 남았다. 〈허공〉은 말 그대로 '허(虛)'와 '공(空)'이 합쳐진 무(無)의 공간이요 모든 것이 흩어져 사라져가는 폐허의 공간이기도 할 텐데, 조용필은 그 허공 속으로 우리의 사랑도 미움도 모두 사라져갈 것임을 노래한다.

> 꿈이었다고 생각하기엔 너무나도 아쉬움 남아
> 가슴 태우며 기다리기엔 너무나도 멀어진 그대
> 사랑했던 마음도 미워했던 마음도
> 허공 속에 묻어야만 될 슬픈 옛 이야기
> 스쳐버린 그날들 잊어야 할 그날들
> 허공 속에 묻힐 그날들
>
> 잊는다고 생각하기엔 너무나도 미련이 남아
> 돌아선 마음 달래보기엔 너무나도 멀어진 그대
> 설레이던 마음도 기다리던 마음도
> 허공 속에 묻어야만 될 슬픈 옛 이야기
> 스쳐버린 그 약속 잊어야 할 그 약속
> 허공 속에 묻힐 그 약속

허공에서 일어나는 움직임은 소멸의 역동성이라고 할 만하다. 허공은 오랜 시간 생명들이 걸어온 길이기도 하고, 그것들이 한시적 목숨을 마감하고 흩어져갈 길목이기도 하다. 인간 역시 허공이라는 창을 통해 꿈을 꾸고 시간을 견뎌간다. 이 노래에서 허공 속으로 흩어져가는 것은 오랜 '꿈'과 '사랑'의 마음이다. 멀어짐과 아쉬움 속에서 떠나는 '그대'를 두고 누군가 "사랑했던 마음도 미워했던 마음도/허공 속에 묻어야만 될 슬픈 옛 이야기"를 노래하는 대목에서, 우리는 오랜 날들의 사랑도 미움도 모두 스쳐버린 날처럼 잊어야 할 날처럼 사라져갈 뿐임을 알게 된다. 또한 잊지 못할 것이 분명한 그대를 두고 "설레이던 마음도 기다리던 마음도/허공 속에 묻어야만 될 슬픈 옛 이야기"임을 노래하는 장면에서는 그 무수한 약속들도 결국 허공 속으로 사라져갈 것을 예감할 뿐이다.

이 노래의 에피소드는 정풍송에 의해 세상에 널리 알려진 바 있다. 원래 꿈이었다고 생각하기엔 너무나 아쉽고 가슴 태우며 기다리기엔 너무나 멀어진 것은 '그대'가 아니라 '민주'였다고 한다. '서울의 봄' 이후 민주주의의 회복을 열망했던 그는 신군부 등장 이후 펼쳐진 억압적인 시대상황을 두고는 "설레이던 마음도 기다리던 마음도 허공 속에 묻어야만 될 슬픈 옛 이야기"가 되었다고 본 것이다. 그런데 '민주'라는 말을 썼다가는 고초를 당할 것이 분명하여 순간적으로 '그대'라는 말을 넣었는데, 절묘하게 노래의 작의(作意)는 보존한 채 애절한 사랑 노래로 변모했다는 것이다. 그만큼 정풍송은 대중예술도 사회적 양심과 책임을 가지고 해야 한다고 생각한 분이다. 뽕짝의 대표 작곡가이지만 그의 마음 속에는 한 시대의 절망과 우수를 담아내려는 예술적 결기가 있었던 것이다.

트로트의 일가를 이루다

정풍송은 조용필을 이렇게 회고한다. "제가 조용필 씨하고 일을 하면서 느낀 건데 어떤 걸 가르친다든지 감정을 이쯤에서는 이 정도만 넣으라고 말을 하면 절대로 잊어버리지 않아요. 또 녹음할 때나 공연할 때 최선을 다하는 것, 혼신을 다하는 것이 가수로서 히트를 칠 수 있었고 장수할 수 있었던 요인이 아닌가 생각합니다." 그렇게 트로트라는 양식 안에서 조용필-정풍송은 만났고, 모든 면에서 최선을 다하고 혼신을 다한 조용필은 〈미워 미워 미워〉와 〈허공〉을 4년 터울로 히트시켰다.

다시 트로트로 돌아가 보자. 우리 주위에서는 트로트를 즐겨 부르면서도 그것을 자랑스럽게 여기지 못하는 경우가 많은 것 같다. 그런데 이른바 '국악(國樂)'은 오랫동안 전해져온 전통 음악이지만 접근하기 쉽지 않았던 데 비해, 트로트는 많은 이들의 접근성을 한층 높여준 음악 양식이었다. 발라드가 서양에서 들어와 우리 것이 된 음악이라면, 트로트는 일본을 경유하여 착근한 음악일 것이다. 간극을 좁히기 어려운 양편향의 이해와 평가 속에서 오늘도 사람들은 트로트를 부르고 네 박자의 꿈을 꾼다. 조용필은 그 트로트에서도 정점을 보여주면서 당당하게 일가를 이룬 것이다.

9.
시간의 사색가, 조용필

맥시코의 유명한 시인 파스(O
Paz)는 언젠가 "시는 역사를 발
가벗기는 것"이라고 말한 바
있다. 다시 말하면 시는 역사
의 추상성과 폭력성을 구체화
하면서 그야말로 삶의 맨얼굴
을 만나게 해준다는 뜻이다. 시
를 통해 발가벗겨진 삶의 맨얼
굴은 '시간'이라는 가혹하고도
부득이한 물질을 두르고 있다.
그리고 시는 시간의 필연적 흐
름과 소멸의 운동이 초래하는
힘과 슬픔, 깊이와 역동성을 암
시해준다. 우리는 조용필 노래
의 존재론 역시 의미론적 투명
성과 진정성을 동시에 꾀하면
서 이러한 시간의 흐름과 소멸
의 운동을 실증함으로써 역사
를 발가벗기는 경험을 제공한
다고 말할 수 있을 것이다.
우리가 뒤돌아볼 겨를 없이 질
주해가는 시간의 아폴론적 활
력은 문명과 테크놀로지의 발
전과 함께 장밋빛 미래에 대한
예견까지 가져다주었다. 하지
만 그것이 남긴 어둑한 그늘도
만만치 않아서, 우리는 존재론
적 소외와 상실을 목도하는 경
우가 많아졌다. 이러한 상황에
서 우리는 디오니소스적 혜안
을 통해 새로운 차원으로 시간
을 받아들이고 사유해간다. 그
렇게 시간은 우리에게 수많은
'길'과 '세계'를 열어주고 흘러
간다. 이때 조용필은 과거와 현
재와 미래를 잇는 시간을 생각
하면서 그것을 자신만의 노래
로 들려주는 사색가로 다가오
는 것이다.

원체험으로서의 '시간'

조용필 노래를 움직여가는 키워드 가운데 하나는 '시간'이다. 과거로부터 발원하여 현재의 열정을 가능케 하고 미래의 희망으로까지 번져갈 시간의 항상적 흐름이야말로 그의 모든 노래를 감싸고 있는 어떤 원체험일 것이다. 일찍이 공자는 유유히 흘러가는 강물을 바라보면서 "흘러감이란 과연 이와 같구나. 밤낮으로 쉬지 않는구나.(逝者如斯夫 不舍晝夜)"라고 말했다. 그는 한순간도 멈추지 않는 시간의 속도감을 강물의 비유를 들어 강조한 것인데, 아마도 그는 삶에서 시간의 의미를 깊이 생각한 이로서 첫 손에 꼽힐 것이다. 그런가 하면 노벨문학상을 탔던 콜롬비아 소설가 마르케스는 "흐르는 시간은 모든 것을 황폐화한다."라고 말했다. 빠르게 흘러간 시간

뒤에 남는 것은 절대적 무상(無常)이요 폐허일 것이기 때문이다. 그렇게 시간은 누구도 범접하지 못할 속도의 양감(量感)을 통해 차가운 잔해를 남기며 흘러갈 뿐이다. 영화로 만들어져 설경구의 빛나는 연기를 기억하게 해주었던 김영하의 장편소설 『살인자의 기억법』에서 주인공은 "무서운 건 악(惡)이 아니오. 시간이지. 아무도 그것을 이길 수 없거든."이라고 말하는데 이 역시 시간의 절대권력을 고백하는 순간이 아닐 수 없다. 이러한 시간의 흐름을 배경으로 한 조용필의 노래는 셀 수 없이 많을 것이다.

7집 앨범 '여행을 떠나요'에 실린 노래 〈어제 오늘 그리고〉와 〈미지의 세계〉는 모두 하지영이 작사하고 조용필이 작곡했다. 발매일은 1985년 4월 10일이었다. 역시 그 두 사람이 각각 작사하고 작곡한 〈그대여〉와 〈여행을 떠나요〉도 함께 실린 이 앨범에는 유독 조용필이 작곡한 노래가 많았는데, 〈눈물로 보이는 그대〉(양인자 작사), 〈나의 노래〉(양인자 작사), 〈내가 아주 어렸을 적엔〉(조용필 작사), 〈아시아의 불꽃〉(소수옥 작사) 등이 그것이다. 그런데 조용필은 1985년 11월 15일에 8집 앨범을 낸다. 7개월여라는 짧은 시간에 새로운 차원의 미학을 펼친 것이다. 여기에는 그의 대표곡인 〈허공〉, 〈킬리만자로의 표범〉, 〈바람이 전하는 말〉, 〈그 겨울의 찻집〉이 실렸다. 그 바람에 1985년은 결국 이 앨범으로 기억되는 해로 남았다. 그래서 그의 7집은 다음에 당도해야 할 커다란 광장에 이르기 위한 골짜기 같은 순간이었는지도 모른다. 그러나 거기에는 어제와 오늘 그리고 미지의 내일을 향해 달려가는 시간의 사색가 조용필의 목소리가 의젓하고도 역동적으로 들어 있다.

오늘 우리가 찾은 것은 무엇인가

〈어제 오늘 그리고〉는 맨 앞에서 '인생길'을 불러온다. 우리가 떠나고 지나고 귀착해야 할 삶의 '길' 말이다. 일찍이 펠리니(F. Fellini)의 아름다운 영화 〈la strada〉, 시내트라(F. Sinatra)의 장중한 노래 〈My Way〉 등은 '길'을 상징 차원까지 각인한 명품들이다. 프로스트(R. Frost)의 가편 〈The road not taken〉 역시 '길'을 뚜렷한 시적 심상으로 들려준 바 있다. 화자는 가을날 숲에서 두 갈래 길을 만나면서 망설인다. 그는 두 길을 다 가지 못하는 것을 안타까워하면서 그 가운데 사람이 걸은 자취가 적게 보이는 길을 선택한다. 도전과 개척의 의미를 품은 이러한 선택은, 다른 길에 대해 다음 날을 위하여 남겨두는 행위를 수반한다. 물론 이 갈림길에 다시 돌아올 수 있을까를 의심하면서 말이다. 결국 그는 노경(老境)에 이르러 자신이 선택한 길 때문에 모든 것이 달라졌다고 회상한다. 이처럼 우리에게 '길'은 인생론적 선택과 해석에 결정적 역할을 하는 상징으로 다가온다. 〈어제 오늘 그리고〉는 바로 그 '길'에서 시작된다.

바람소리처럼 멀리 사라져갈 인생길

우린 무슨 사랑 어떤 사랑 했나.

텅 빈 가슴 속에 가득 채울 것을 찾아서

우린 정처 없이 떠나가고 있네.

여기 길 떠나는 저기 방황하는 사람아

우린 모두 같이 떠나가고 있구나.

끝없이 시작된 방랑 속에서

어제도 오늘도 나는 울었네.

어제 우리가 찾은 것은 무엇인가

잃은 것은 무엇인가 버린 것은 무엇인가

오늘 우리가 찾은 것은 무엇인가

잃은 것은 무엇인가 남은 것은 무엇인가

오늘 우리가 찾은 것은 무엇인가

잃은 것은 무엇인가 남은 것은 무엇인가

어떤 날은 웃고 어떤 날은 울고 우는데

어떤 꽃은 피고 어떤 꽃은 지고 있네.

오늘 찾지 못한 나의 알 수 없는 미련에

헤어날 수 없는 슬픔으로 있네.

여기 길 떠나는 저기 방황하는 사람아

우린 모두 같이 떠나가고 있구나.

끝없이 시작된 방랑 속에서

어제도 오늘도 나는 울었네.

어제 우리가 찾은 것은 무엇인가

잃은 것은 무엇인가 버린 것은 무엇인가

오늘 우리가 찾은 것은 무엇인가

잃은 것은 무엇인가 남은 것은 무엇인가

이 노래는 "바람소리처럼 멀리 사라져갈 인생길"을 호명한다. 바람도 마찬가지이지만 '바람소리'란 정말 흔적도 없이 사라져갈 것이다. 그 덧없는 인생길에서 우리는 끝없이 사랑했고, 떠났고, 방랑했고, 울었고, 찾았고, 버렸고, 잃었고, 무엇인가를 남겼을 것이다. 숱하게 일고 무너졌을 시간 속에서 우리는 "텅 빈 가슴"을 채우려 했을 것이고, 정처 없이 모두 함께 길을 떠났을 것이다. 끝없이 이어져왔을 그 시간은 우리가 걸어온 길을 "어제도 오늘도" 찾고 버리고 잃고 남겨온 연쇄 속에서 규정한다. 2절로 넘어가면 웃음과 울음의 교차, 개화와 낙화의 반복, 미련과 슬픔과 방황과 떠남의 연속을 통해 다시 어제, 오늘 그리고 언제라도 찾고 잃고 버리고 다시 찾고 잃고 남은 것을 물어간다. 그 과정이야말로 우리가 걸어온 길의 덧없음을 잘 보여주지 않는가. 하지만 그 덧없음이 흔히 말하는 허무로 직결되는 것은 아니다. 거기에는 분명히 "남은 것"이 있기 때문이다. 어제와 오늘을 걸어 우리가 잃고 버린 것도 있지만 찾고 남긴 것 또한 분명한 흔적으로 있으니, 조용필의 노래는 시간의 가혹한 흐름 속에서 삶을 궁극적으로 긍정하는 힘을 내장하고 있는 것이다.

삶은 흔히 '길'에 비유되곤 한다. 그것은 삶의 과정을 적절하게 은유하면서 순간순간 우리에게 불가피한 선택지로 다가온다. 만약 우리에게 평탄한 하나의 길만 부여된다면 삶이란 얼마나 단조로울 것인가. 하지만 삶이라는 길은 가파름과 신산함을 포함한 긴장과 활력을 가진다. 우리는 고비마다 그 길의 선택에 자긍을 가진다. 그렇게 우리는 시간을 따라 어제도 오늘도 길을 잃고, 걷고, 찾고 있다. 그리고 우리는 멀지 않은 미래에 무언가를 찾은 시간을 마음 깊이 회상하게 될 것이다.

이 순간을 영원히

정성 들여 걸어온 길을 뒤로 하고 조용필의 노래는 이제 '미지의 세계'라는 미래를 향한다. 그 시선과 상상력은 오랜 시간의 경험을 미래적 창조의 힘으로 바꾸어간다. 이는 조용필의 의식 속에서 한없이 솟아나는 어떤 희망의 영감이기도 할 것이다. 〈미지의 세계〉는 알 수 없는 시간을 바라보고 견인하는 미래 지향의 노래다. 이 노래를 통해 조용필은 로커로서의 면모를 회복하면서 새로운 세계를 열어간다. 드라마 〈응답하라 1988〉에도 이 노래가 나오는데, 금성사 오디오 CM송으로 쓰인 이 곡을 배우가 따라 부르는 장면에서이다.

이 순간을 영원히 아름다운 마음으로

미래를 만드는 우리들의 푸른 꿈

오 오 오 오 오 오

하고 싶은 이야기 노래로 만들어요.

우리는 모두 다 사랑하는 친구들

오 오 오 오 오 오

아 아 아 노래를 사랑의 노래를

미지의 세계를 찾아서 떠나요

사랑의 노래를 멈추지 말아요.

언제나 끝이 없어라 알 수 없는 질문과 대답

저 넓은 하늘 끝까지 우리들의 사랑을 노래해요

오 오 오 오

머물 곳을 찾아서 낯선 곳을 찾아가서

미래를 만드는 우리들의 푸른 꿈

오 오 오 오 오 오

가슴으로 느끼며 마음으로 얘기해요

우리는 노래를 사랑하는 친구들

<u>오 오 오 오 오 오</u>

아 아 아 노래를 사랑의 노래를

미지의 세계를 찾아서 떠나요

사랑의 노래를 멈추지 말아요.

언제나 끝이 없어라 알 수 없는 질문과 대답

저 넓은 하늘 끝까지 우리들의 사랑을 노래해요

<u>오 오 오 오</u>

미지의 세계를 찾아서 떠나요

사랑의 노래를 멈추지 말아요.

    호쾌한 목소리가 한순간도 가라앉지 않고 곡이 끝날 때까지 유지되는 이 벅찬 노래는, "이 순간을 영원히"라는 첫 구절로 어느새 집약된다. 어쩌면 이 구절이야말로 모든 예술의 로망이자 노래를 부르고 춤을 추고 시를 쓰는 모든 이들의 존재 형식일지도 모른다. "아름다운 마음으로/미래를 만드는" 꿈 역시 그러한 예술적 충동의 원질이요 에너지이다. "하고 싶은 이야기"는 노래로 만들고, 사랑하는 친구들이 모여 "사랑의 노래"를 멈추지 않고, "미지의 세계"를 찾아 떠나는 일련의 과정은, 다가오지 않은 시간을 앞당기면서 젊음을 역동적으로 펼쳐가자는 선명한 권면을 담고 있다. 〈어제 오늘 그리고〉가 다분히 회감(回感)의 성격을 띤다면, 이 노래는 "알 수 없는 질문과 대답"을 끝없이 던지면서 "저 넓은 하늘 끝까지" 사랑을 노래하자고 독려하는 거칠 것 없는 예감(豫感)의 속성을 가졌다. 비록 순간적으로는 "머물 곳"을 찾지만, 마음은 항상 "낯선 곳"을 찾아가 미래를 만들고자 하는 꿈은 그래서 "가슴으로 느끼며 마음으로 얘기"하는 동질감을 만들어낸다. 젊음만이 가능한 이러한 연대감은 언제나 끝이 없는 질문과 대답을 주고받으며 "미지의 세계"를 찾아 떠나는 "사랑의 노래"를 멈추지 않게 해줄 것이다. 그리고 이렇게

"미시의 세계"를 찾아나선 이들이 훗날 부르게 될 인생론이 어쩌면 〈어제 오늘 그리고〉일 것이다. 조용필 인생론의 생성-성장-귀착-회상의 끊임없는 운동이 이렇게 노래마다 편편이 흩어져 있는 셈이다.

노래는 역사를 발가벗기는 것

멕시코의 유명한 시인 파스(O. Paz)는 언젠가 "시는 역사를 발가벗기는 것"이라고 말한 바 있다. 다시 말하면 시는 역사의 추상성과 폭력성을 구체화하면서 그야말로 삶의 맨얼굴을 만나게 해준다는 뜻이다. 시를 통해 발가벗겨진 삶의 맨얼굴은 '시간'이라는 가혹하고도 부득이한 물질을 두르고 있다. 그리고 시는 시간의 필연적 흐름과 소멸의 운동이 초래하는 힘과 슬픔, 깊이와 역동성을 암시해준다. 우리는 조용필 노래의 존재론 역시 의미론적 투명성과 진정성을 동시에 꾀하면서 이러한 시간의 흐름과 소멸의 운동을 실증함으로써 역사를 발가벗기는 경험을 제공한다고 말할 수 있을 것이다.

우리가 뒤돌아볼 겨를 없이 질주해가는 시간의 아폴론적 활력은 문명과 테크놀로지의 발전과 함께 장밋빛 미래에 대한 예견까지 가져다주었다. 하지만 그것이 남긴 어둑한 그늘도 만만치 않아서, 우리는 존재론적 소외와 상실을 목도하는 경우가 많아졌다. 이러한 상황에서 우리는 디오니소스적 혜안을 통해 새로운 차원으로 시간을 받아들이고 사유해간다. 그렇게 시간은 우리에게 수많은 '길'과 '세계'를 열어주고 흘러간다. 이때 조용필은 과거와 현재와 미래를 잇는 시간을 생각하면서 그것을 자신만의 노래로 들려주는 사색가로 다가오는 것이다.

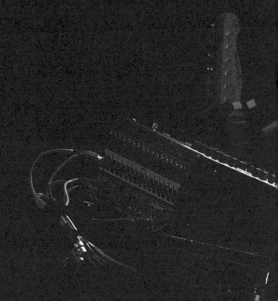

10.
조용필과 양인자

"먹이를 찾아 산기슭을 어슬렁 거리는 하이에나"와 "산정 높이 올라가 굶어서 얼어죽는 눈 덮인 킬리만자로의 그 표범" 은 노래의 앞머리에서부터 선 명한 대조를 보이면서, 이 남자 로 하여금 "지구의 어두운 모퉁 퉁이"에서 잠시 쉬며 "야망에 찬 도시의 그 불빛"으로부터의 역주행을 택하게끔 하는 원형 적 구도(構圖)로 작용한다. 도 시 한복판에 철저히 혼자 버려 진 모습은 〈꿈〉에서도 만난 적 이 있지만, 여기서 우리는 그가 "나보다 더 불행하게 살다 간 고흐란 사나이"를 호명하는 데 서 이 남자가 '예술적인 것'을 철저한 고독 속에서 완성해가 려는 존재임을 암시받게 된다. "바람처럼 왔다가 이슬처럼 갈 순" 없다고 노래하는, "내가 산 흔적일랑 남겨둬야" 한다고 노 래하는 이 남자는 곧 '가왕 조 용필'의 생애와 그의 예술을 짐 작하게 하지 않는가. "한 줄기 연기처럼 가뭇없이" 사라질지 라도 "빛나는 불꽃으로 타올 라" 끝내 살아남는 예술이야말 로 "높은 곳까지/오르려 애쓰 는" 조용필 생애의 정점이요, "고독한 남자의 불타는 영혼 을/아는 이"가 없더라도 그 길 을 끝내 걸어갈 수 있었던 원 적 힘이었을 것이다.

조용필의 노래에 참여한 중요한 작사가로 다섯 분을 떠올릴 수 있다. 가나다 순으로 적시하면 김순곤, 박건호, 양인자, 조용필, 하지영이다. 어떤 자료에 의하면 이 다섯 분이 작사한 노래가 그의 실제 공연에서 차지하는 비중은 거의 절대적이다. 공연 현장에서 널리 불리는 소위 히트곡이 이 다섯 분에게서 많이 나왔다는 이야기이다. 이 가운데 양인자는 하지영과 함께 조용필의 히트곡을 가장 많이 쓴 분으로 유명하다. 오늘은 그동안 살피지 못했던 양인자의 노래 세 곡 〈그 겨울의 찻집〉, 〈킬리만자로의 표범〉, 〈Q〉에 초점을 맞추어보자. 세 곡 모두 양인자의 남편 김희갑의 작곡으로 세상에 나왔다. 이 밖에도 양인자는 〈나의 노래〉, 〈내 가슴에 내리는 비〉, 〈내 청춘의 빈잔〉, 〈눈물로 보이는 그대〉, 〈눈이 오면 그대가 보고 싶다〉, 〈말하라 그대들이 본 것이 무엇인가를〉, 〈물결 속에서〉, 〈바람이 전하는 말〉, 〈보랏빛 여인〉, 〈서울 서울 서울〉, 〈얄미운 님아〉, 〈연인의 속삭임〉, 〈우주여행X〉, 〈인생이 장미꽃이라면〉, 〈일몰〉, 〈진〉 등의 조용필 노래를 작사했다. 조용필과 함께 오랜 세월을 사(詞)-창(唱)의 듀오로 활동했던 것이다.

양인자는 1945년 함경북도 나진에서 태어나 부산에서 자랐다. 서라벌예대 문창과를 졸업하고 소설가, 드라마 작가, 작사가로 꾸준한 활동을 해왔다. 부산여고 재학 때 소설『돌아온 미소』를 이미 출간했으며, 1974년『한국문학』에 단편「외항선」을 발표하면서 소설가로 등단하였다. 이후『태양의 저편』,『촛불을 꺼야 하리』등의 장편과『울타리 밖의 아이들』등의 소설집을 출간하면서 소설가로 세상에 이름을 각인하였다. 그러다가 〈부부〉, 〈청춘일기〉, 〈파리공원의 아침〉 등 드라마 작가로서도 이름을 날리며 자신의 문학 외연을 확장해갔다. 그러나 이러한 소설과 드라마 극본의 왕성한 집필에도 불구하고 양인자는 대중들에게 작사가로 더 널리 알려져 있다. 모든 여정을 함께한 남편 김희갑이 곡을 입힌 경우가 대부분이었다. 조용필, 김국환, 김현식, 태진아, 임주리, 이선희, 혜은이 등 많은 가수들이 양인자가 쓴 곡을 자신의 대표곡으로 불렀다. 많은 이들이 양인자 노래의 서정성, 인생론, 사랑, 실존의 고백 등을 좋아했고, 또 김희갑의 곡은 그러한 노랫말을 감싸는 천혜의 울타리가 되어주었던 것이다.

항구적 사랑의 기억

1985년 발매된 조용필의 8집 앨범에는 표제작이었던 〈허공〉과 함께 〈바람이 전하는 말〉, 〈킬리만자로의 표범〉, 〈상처〉, 〈내 청춘의 빈잔〉 등 절절한 고독과 사랑과 청춘의 노래가 여럿 실려 있었다. 그 가운데 가장 서정적이고 아름다운 사랑의 삽화 하나가 발견되는데, 지금도 수많은 이들의 애창곡으로 군림하고 있는 〈그 겨울의 찻집〉이 그것이다. 인적이 드문 시공간인 어느 겨울 이른 아침의 찻집을 설정하여 지금은 떠나버린 2인칭에 대한 그리움의 고백을 이어가는, 조용필의 허스키 음색이 빛을 발하는 짧은 노래이다.

바람 속으로 걸어갔어요
이른 아침의 그 찻집
마른 꽃 걸린 창가에 앉아
외로움을 마셔요
아름다운 죄 사랑 때문에
홀로 지샌 긴 밤이여
뜨거운 이름 가슴에 두면
왜 한숨이 나는 걸까
아아 웃고 있어도 눈물이 난다
그대 나의 사랑아

바람 속을 걸어 다다른 "이른 아침의 그 찻집"에는 사람은 없고 다만 "마른 꽃"만 창가에 걸려 있을 뿐이다. 한때 생기가 돌았고 향기가 가득했을 그 '꽃'은 오랜 시간이 흘러 "마른 꽃"이 되어갔을 것이다. 혼자 창가에 앉아 외로움을 마시고 있는 사람은, 물론 차를 마시는 것이겠지만, "외로움"과 "마른 꽃"이라는 정서적 등가물을 환하게 펼쳐 보이고 있다. 그가 걸어온 "바람 속"도 사랑하는 2인칭과 걸어왔던 시간의 등가물일 것이다. 한때 "아름다운 죄 사랑"을 나누었고 그 사랑 때문에 이제는 오래도록 "홀로 지샌 긴 밤"을 가졌던 이 사람은, 이제는 지나가버린 "뜨거운 이름"을 가슴에 두고 '한숨'과 '눈물'로 가득한 사랑의 시간을 찻집에서 밝히고 있다. "웃고 있어도 눈물이 난다/그대 나의 사랑아"라는 마지막 부분은 이 노래의 백미(白眉)로서 "아름다운 죄 사랑 때문에"와 함께 대중들의 기억 속에 가장 깊이 남은 명구(名句)이다. 최근 '웃프다'라는 말이 창안되어 통용되고 있는데, 그 말은 표면적으로는 웃음이 나지만 실제로 처한 상황은 슬픔으로 가득할 때 쓰인다. 사랑이 어떤 이유에서인지 떠나고 겨울 찻집에 마른 꽃처럼 앉아 웃고 있어도 눈물이 나는 이 사람의 마음이 꼭 그럴 것이다. 여전히 "그대 나의 사랑"을 말하는 항구적 사랑의 기억이 잔잔한 전주(前奏), 조용필의 찬연한 창법, 양인자의 서정적 노랫말 속에 지금도 흐르고 있다.

고독과 사랑의 예술론

〈킬리만자로의 표범〉은 양인자가 대학 1학년 때 쓴 단상(斷想)에 기초를 두고 있다고 한다. 일기장에 적어둔 메모에 살을 붙이고 완성도를 입혀 완성한 이 노랫말은, 내레이션과 노래가 교차하는 형식과 함께 5분이 넘어가는 긴 시간으로 인해 앨범의 타이틀곡으로 선정되지는 못했다고 한다. 하지만 특유의 비장미와 예술가적 도전정신이 함께 어울려 지금도 많은 이들이 좋아하는 조용필의 예외적 대표곡이 되고 있는 노래이다.

먹이를 찾아 산기슭을 어슬렁거리는 하이에나를 본 일이 있는가 짐승의 썩은 고기만을 찾아다니는 산기슭의 하이에나 나는 하이에나가 아니라 표범이고 싶다 산정 높이 올라가 굶어서 얼어죽는 눈 덮인 킬리만자로의 그 표범이고 싶다

자고 나면 위대해지고 자고 나면 초라해지는 나는 지금 지구의 어두운 모퉁이에서 잠시 쉬고 있다 야망에 찬 도시의 그 불빛 어디에도 나는 없다 이 큰 도시의 복판에 이렇듯 철저히 혼자 버려진들 무슨 상관이랴 나보다 더 불행하게 살다 간 고흐란 사나이도 있었는데

바람처럼 왔다가 이슬처럼 갈 순 없잖아

내가 산 흔적일랑 남겨둬야지

한 줄기 연기처럼 가뭇없이 사라져도

빛나는 불꽃으로 타올라야지

묻지 마라 왜냐고 왜 그렇게 높은 곳까지

오르려 애쓰는지 묻지를 마라

고독한 남자의 불타는 영혼을

아는 이 없으면 또 어떠리

　살아가는 일이 허전하고 등이 시릴 때 그것을 위안해줄 아무
것도 없는 보잘것없는 세상을 그런 세상을 새삼스레 아름답게 보
이게 하는 건 사랑 때문이라구 사랑이 사람을 얼마나 고독하게
만드는지 모르고 하는 소리지 사랑만큼 고독해진다는 걸 모르고
하는 소리지

　너는 귀뚜라미를 사랑한다고 했다 나도 귀뚜라미를 사랑한
다 너는 라일락을 사랑한다고 했다 나도 라일락을 사랑한다 너
는 밤을 사랑한다고 했다 나도 밤을 사랑한다 그리고 또 나는 사
랑한다 화려하면서도 쓸쓸하고 가득찬 것 같으면서도 텅 비어 있
는 내 청춘에 건배

사랑이 외로운 건 운명을 걸기 때문이지

모든 것을 거니까 외로운 거야

사랑도 이상도 모두를 요구하는 것

모두를 건다는 건 외로운 거야

사랑이란 이별이 보이는 가슴 아픈 정열

정열의 마지막엔 무엇이 있나

모두를 잃어도 사랑은 후회 않는 것

그래야 사랑했다 할 수 있겠지

아무리 깊은 밤일지라도 한 가닥 불빛으로 나는 남으리 메마르고 타버린 땅일지라도 한 줄기 맑은 물소리로 나는 남으리 거센 폭풍우 초목을 휩쓸어도 꺾이지 않는 한 그루 나무 되리 내가 지금 이 세상을 살고 있는 것은 21세기가 간절히 나를 원했기 때문이야

구름인가 눈인가 저 높은 곳 킬리만자로

오늘도 나는 가리 배낭을 메고

산에서 만나는 고독과 악수하며

그대로 산이 된들 또 어떠리

모두가 야망을 안고 살아가는 시대에, 산정 높이 올라가 굶어서 얼

어죽는 표범의 고독을 택하겠다고 노래하는 한 남자가 있다. 짐승의 썩은 고기만을 찾아다니는 산기슭 하이에나의 삶을 거절하면서, 바람처럼 왔다가 이슬처럼 사라져가는 삶으로부터의 원심력을 택하면서, '고독'과 '사랑'의 운명을 노래하는 남자 말이다. 우리는 주어진 운명으로서의 '고독'과 '사랑'을 자발적으로 수용하고 그것을 견뎌가는 이 남자의 의지 속에서 한없는 위안의 에너지를 선사받는다.

"먹이를 찾아 산기슭을 어슬렁거리는 하이에나"와 "산정 높이 올라가 굶어서 얼어죽는 눈 덮인 킬리만자로의 그 표범"은 노래의 앞머리에서부터 선명한 대조를 보이면서, 이 남자로 하여금 "지구의 어두운 모퉁이"에서 잠시 쉬며 "야망에 찬 도시의 그 불빛"으로부터의 역주행을 택하게끔 하는 원형적 구도(構圖)로 작용한다. 도시 한복판에 철저히 혼자 버려진 모습은 〈꿈〉에서도 만난 적이 있지만, 여기서 우리는 그가 "나보다 더 불행하게 살다 간 고흐란 사나이"를 호명하는 데서 이 남자가 '예술적인 것'을 철저한 고독 속에서 완성해려는 존재임을 암시받게 된다. "바람처럼 왔다가 이슬처럼 갈 순" 없다고 노래하는, "내가 산 흔적일랑 남겨둬야" 한다고 노래하는 이 남자는 곧 '가왕 조용필'의 생애와 그의 예술을 짐작하게 하지 않는가. "한 줄기 연기처럼 가뭇없이" 사라질지라도 "빛나는 불꽃으로 타올라" 끝내 살아남는 예술이야말로 "높은 곳까지/오르려 애쓰는" 조용필 생애의 정점이요 "고독한 남자의 불타는 영혼을/아는 이"가 없더라도 그 길을 끝내 걸어갈 수 있었던 원천적 힘이었을 것이다.

  그러다가 남자는 '고독'을 넘어 '사랑'을 노래한다. 사람을 '위안'
해줄 아무것도 세상에 존재하지 않을 때 그런 세상을 아름답게 보
이게 하는 것이 사랑이기 때문이다. 하지만 그는 그런 사실을 바로
부정한다. 오히려 사랑이 사람을 '고독'하게 만들기 때문이다. 날카
롭게 대립하는 '위안'과 '고독'의 양면성, 그것은 '너'와 '나'가 사랑
했던 세목들 가령 '귀뚜라미/라일락/밤'의 양면성이기도 할 것이
다. 그런데 그때 남자는 "화려하면서도 쓸쓸하고 가득찬 것 같으면
서도 텅 비어 있는 내 청춘에 건배"라고 외치며 사랑과 청춘의 화
려함과 쓸쓸함의 양면성을 사랑한다고 외친다. 그리고 "사랑이 외
로운 건 운명을 걸기 때문이지/모든 것을 거니까 외로운 거야"라
는 탁월한 사랑론(論)을 펼친다. 운명을 걸다니? 과연 당신은 모든
것을 걸어보았는가? 이 '걺'이란 얼마나 가난하고 아름다운 온몸의
던짐일 것인가? 비록 "이별이 보이는 가슴 아픈 정열"일지라도 그
는 "모두를 잃어도 사랑은 후회 않는 것"이라고 하지 않는가? 이러
한 고독과 사랑의 끝에 그는 "한 가닥 불빛/한 줄기 맑은 물소리/
한 그루 나무"로 남아 21세기가 저리도 간절히 원하는 자신을 이어
간다. "저 높은 곳 킬리만자로"로 떠나 "산에서 만나는 고독"과 악수
하며 그대로 산이 되어 자신이 완성한 '운명을 건 사랑'을 노래하는
것이다. 이 '고독'과 '사랑'의 예술론은 우리 대중가요사에서 만날
수 있는 가장 위대한 순간이 아닐 수 없을 것이다.

애절한 사랑과 이별의 비가

1989년에 나온 조용필 11집 앨범은 이채롭게도 양인자 작사, 김희갑 작곡의 노래로만 구성되어 있다. 그 안에는 〈말하라 그대들이 본 것이 무엇인가를〉처럼 장거리 노래도 있고, 〈Q〉 같은 애절한 사랑과 이별의 비가(悲歌)도 있다. 여기서 'Q'는 우리가 보통 부르는 사람 이름의 이니셜이라고 양인자는 밝힌 바 있다. 물론 우리는 'Q'에서 삶에 대한 '질문(Question)'을 떠올리기도 하고, 심지어 사랑했던 한 '여왕(Queen)'을 떠올릴 수도 있으니, 그냥 단순하게 A, B, C로 호명한 것과는 전혀 다를 수밖에 없을 것이다. 착시가 허락된다면, 영상을 찍을 때 출연자에게 시작을 알리는 신호로서의 '큐(cue)'도 떠오르지 않는가? 큐!

너를 마지막으로 나의 청춘은 끝이 났다
우리의 사랑은 모두 끝났다
램프가 켜져 있는 작은 찻집에서 나 홀로
우리의 추억을 태워 버렸다

하얀 꽃송이 송이 웨딩드레스 수놓던 날
우리는 영원히 남남이 되고
고통의 자물쇠에 갇혀 버리던 날 그날은

나도 술잔도 함께 울었다

너를 용서 않으니 내가 괴로워 안 되겠다
나의 용서는 너를 잊는 것
너는 나의 인생을 쥐고 있다 놓아버렸다
그대를 이제는 내가 보낸다

사랑 눈감으면 모르리
사랑 돌아서면 잊으리
사랑 내 오늘은 울지만
다시는 울지 않겠다

'너'는 '나의 청춘'을 마무리해준 둘도 없는 2인칭이다. "램프가 켜져 있는 작은 찻집"은 앞에서 본 '그 겨울의 찻집'과 조금 분위기가 다른데, 거기서 남자가 "우리의 추억을 태워"버리고 있기 때문이다. '너'는 이제 "하얀 꽃송이 송이 웨딩드레스 수놓던 날"을 통해 영원한 결별을 알렸고, "고통의 자물쇠에 갇혀 버리던 날"에 처한 '나'는 술잔과 함께 울고 있다. 마른 꽃 걸린 창가에서 외로움을 마시는 장면과 술잔을 들이키며 우는 장면은 이별을 '항구적 기억'과 '애절한 슬픔'으로 남기는 한 남자의 서로 다른 모습을 보여주는 듯도 하다. 결국 '나'는 "나의 용서는 너를 잊는 것"을 노래함으로써

"사랑 눈감으면 모르리/사랑 돌아서면 잊으리/사랑 내 오늘은 울지만/다시는 울지 않겠다"는 후렴의 필연성을 깊은 여운으로 들려준다. 그 '용서'는 '너'를 위한 것이 아니라 고통 속에 잠긴 '나' 스스로를 위한 것이었던 셈이다. 그 점에서, 이 애절한 사랑과 이별의 비가는 모든 실연의 청춘을 위안하고 새로운 힘을 얻게 한 사랑의 송가(頌歌, 送歌)이기도 했을 것이다. 이렇게 양인자는 조용필에게 고독과 이별과 보냄과 용서의 메시지를 한없이 흘려 보내주었다. 물론 그 모든 것을 감싸고 있는 것은 운명을 건 '사랑'이었을 것이다. 그리고 그 치열한 예술적 고독과 사랑의 여정은 조용필의 것이자, 양인자 스스로의 것이기도 했을 것이다.

에필로그 : 조용필, 영원한 예술의 파문

에필로그 : 조용필, 영원한 예술의 파문

　그동안 조용필의 노래를 문학으로 읽어보았다. 그의 삶과 노래를 통시적으로 엮어가는 흐름보다는 그때그때의 키워드나 테마를 충족하는 노래들을 묶어 조용필의 주류 미학을 탐색하는 방법을 택해보았다. 한 곡 한 곡의 결을 짚어가면서, 처음 짐작했던 것보다 그의 노래가 주는 파문이 훨씬 크고 다양한 문양으로 그려져 갔음을 확인할 수 있었다. 많은 작품을 인용하였고, 그 노랫말이 주는 의미들을 조용필 개인사 문맥은 물론 시대적 맥락에 비추어 분석도 해보았다. '가왕'이라고 그를 불러온 것이 꼭 그의 가창력이나 오랜 생명력 그리고 그것을 감싸고 있던 대중적 인기 같은 것에서만 연유하는 것이 아니었음도 분명하게 확인하였다. 그는 대중예술의 일상성과 평균성에서만 보자면 너무도 위대한 '시대의 노래꾼'이기도 하였기 때문이다. 그래서 그는 대중예술이 기울어가기 쉬운 통속성이나 하향평준화의 가능성을 자신과 철저하게 분리하면서, 노래가 가닿을 수 있는 존재론적, 의미론적 권역을 정점에서 이룩해낸 '가왕'이었다.

돌아와요 부산항에 - 조용필 노래의 시원(始原)

조용필을 대중들 뇌리에 선명하게 각인한 첫 출발은 그 유명한 〈돌아와요 부산항에〉였다. 이 노래는 황선우가 작사하고 작곡하여 1972년에 발표되었다. 가사 속에 나오는 "그리운 내 형제"는 당시 고국을 그리워했던 재일동포를 가리키는 것이며, 그때 이 노래는 동포애를 강조한 맥락으로 크게 반향을 얻기도 했다는 점은 이미 많은 연구자들이 밝혀놓은 바 있다. 노래의 원곡은 1970년 통영 출신 가수 김해일이 취입한 〈돌아와요 충무항에〉였다고 하는데, 황선우가 지금의 모습대로 개사를 하였고, 1976년 서라벌레코드에서 이 노래를 넣어 조용필 비정규 앨범으로 발매하였다. 그러다가 조용필이 이 곡을 다시 조금 더 빠르고 경쾌한 분위기로 편곡하여 1980년 정규 1집에 수록하였는데, 우리에게 가장 널리 알려진 것은 바로 이 1980 버전이다.

꽃피는 동백섬에 봄이 왔건만
형제 떠난 부산항에 갈매기만 슬피 우네

오륙도 돌아가는 연락선마다

목메어 불러봐도 대답 없는 내 형제여

돌아와요 부산항에 그리운 내 형제여

가고파 목이 메어 부르던 이 거리는

그리워서 헤매이던 긴긴 날의 꿈이었지

언제나 말이 없는 저 물결들도

부딪쳐 슬퍼하며 가는 길을 막았었지

돌아왔다 부산항에 그리운 내 형제여

　　노래가 불리고 유통된 여러 주변적 맥락을 배제하고 보아도, 이
노래는 호소력 있는 조용필의 목소리를 극점에서 빛나게 한 명곡
이 아닐 수 없다. '동백섬'이나 '오륙도'로 '부산항'의 공간적 구체성
을 도드라지게 표현한 것은, 마치 이난영의 〈목포의 눈물〉에서 '삼
학도', '노적봉', '유달산' 등을 목포 주위 배경으로 배치하는 방법을
빼닮았다. 그러고 보니 어떤 지역을 다루는 노래는 그 구체적 지명
을 적극 소환하여 호환할 수 없는 경험적 기억을 각인하게 마련이
었을 것이다. 현인의 〈서울 야곡〉에서도 '충무로', '보신각' 등 서울
밤거리를 쏘다니던 이들의 기억을 자극하는 장소들이 나오고, 나훈아
의 〈대동강 편지〉에서도 대동강을 익숙하게 환기하는 '을밀대', '부
벽루' 등이 반드시 호명되고 있지 않은가. 이제 우리는 '부산항'을

그렇게 동백섬의 봄과 함께 떠올린다.

'동백섬'에 꽃이 피고 봄이 왔다. 생명력으로 가득한 시절이지만, 바다 위를 날아다니는 갈매기들은 "형제 떠난 부산항"에서 슬피 울고 있을 뿐이다. 여기서 '부산항'은 연락선을 타고 떠나 이제는 목메어 불러보아도 대답 없는 '형제'를 환기하는 부재의 장소이다. 그렇게 떠난 곳으로 다시 귀환해달라는 호소인 "돌아와요 부산항에 그리운 내 형제여"는 이 노래의 결구(結句)이자, 부재를 극복하는 방식으로 '그리움'을 택함으로써 이 노래를 보편적인 연가(戀歌)로 그 소통의 범주를 확장시킨 명구(名句)이기도 하다. 2절로 건너가면 "그리워서 헤매이던 긴긴 날의 꿈"을 간직한 이의 마음을 "언제나 말이 없는 저 물결들"이 화답하고 있다. "돌아와요"를 "돌아왔다"로 바꿈으로써 원망(願望)의 불완전성을 귀환의 완결형으로 노래하고 있는데, 이는 부산항을 떠나 돌아오지 않던 형제를 그리다가 결국 그들이 돌아왔다는 귀환 서사를 배치하는 과정으로 이어진다. 그래서 이 노래는 사랑하는 사람을 떠나보낸 모든 이들의 마음을 위안해준 시대의 노래가 된 것이다. 어림잡아 셈해보면 이미 반세기 전에 만들어져 조용필 노래의 시원(始原)이 되어준 〈돌아와요 부산항에〉는, 파란 많았던 한국 근대사의 한 대목을 절절하게 반영하면서도, 조용필 허스키 보이스의 정점을 예술적으로 각인했던 일대 사건이었다고 할 수 있을 것이다.

바운스 – 조용필 노래의 심장

2013년은 조용필의 '위대한 탄생'이 한 번 더 이루어진 기념비적인 해다. 그해 4월 조용필은 18집 앨범 『OVER THE RAINBOW』(2003) 이후 꼭 10년 만에 정규 19집 앨범 『HELLO』를 발표하였다. 여기 실린 〈BOUNCE〉는 세대를 넘어 크나큰 반향과 기록들을 조용필로 하여금 남기게끔 해주었는데, 어느새 예순에 접어든 가왕이 부른 이 노래로 하여 우리 모두의 심장은 새롭게 뛰고 또 설레기까지 했다.

그대가 돌아서면 두 눈이 마주칠까

심장이 Bounce Bounce

두근대 들릴까봐 겁나

한참을 망설이다 용기를 내

밤새워 준비한 순애보 고백해도 될까

처음 본 순간부터 네 모습이

내 가슴 울렁이게 만들었어

Baby You're my trampoline

You make me Bounce Bounce

수많은 인연과 바꾼 너인 걸

사랑이 남긴 상처들도 감싸줄게

어쩌면 우린 벌써 알고 있어

그토록 찾아 헤맨 사랑의 꿈

외롭게만 하는 걸

You make me Bounce

You make me Bounce

Bounce Bounce

망설여져 나 혼자만의 감정일까

내가 잘못 생각한 거라면 어떡하지 눈물이 나

별처럼 반짝이는 눈망울도

수줍어 달콤하던 네 입술도

내겐 꿈만 같은 걸

You make me Bounce

우린 벌써 알고 있어

그토록 찾아 헤맨 사랑의 꿈

외롭게만 하는 걸 어쩌면 우린 벌써

You make me Oh You make me

이 노래는 조용필을 거의 처음 대하는 이들에게까지도 폭넓게 퍼져갔다. 사랑하는 이를 생각하면서 심장이 튀어오르는 듯한 소리를 듣고 있는 이 목소리는, 나이를 무색하게 만드는 원형적 '바운스'의 음악을 우리에게 선명하게 들려준다. 음악적으로는 일렉트

릭 기타와 신시사이저를 앞세우고 드럼으로 받치는 록 형식을 택한 이 노래는, 노랫말에 영어가 섞여 있지만 일찍이 조용필이 〈서울 서울 서울〉에서 영어 가사를 부분적으로 도입한 사례가 있으니 꼭 생소한 것만은 아닐 것이다. '그대'라는 2인칭은 돌아서면 곧 두 눈이 마주칠 만한 지근의 거리에 있지만, 마치 김소월의 〈산유화〉에 나오는 "저만치"의 거리처럼, 가까이 하기엔 너무 먼 당신일 뿐이다. 그러니 "심장이 Bounce Bounce"하고 두근대는 것이 들릴까봐 겁이 나지 않겠는가. 한참을 망설이다 용기를 내서 "밤새워 준비한 순애보"를 고백하려는 '나'의 모습은 그 자체로 애틋하고 또 아름답다. "처음 본 순간부터 네 모습이/내 가슴 울렁이게" 했다는 고백을 통해 '나'는 비로소 '너'야말로 자신의 트램펄린이고 끝없이 심장을 튀어오르게 했노라고 말할 수 있는 것이다. "수많은 인연"을 물리치고 "사랑이 남긴 상처들"마저 감싸줄 수 있을 것 같아 선택한 '너'는 "그토록 찾아 헤맨 사랑의 꿈"을 완성시켜준 둘도 없는 존재인 셈이다. 비록 "나 혼자만의 감정"일지도 모르지만 "별처럼 반짝이는 눈망울도/수줍어 달콤하던 네 입술도/내겐 꿈만" 같이 다가오는 순간만은 '나'와 '너'가 하나가 되는 지극함을 선사해준다. 그러니 튀어오를 것 같은 심장의 운동이 바로 이 노래의 리듬이 되어주고, 사라져갈 것 같은 불안도 사랑으로 승화되는 순간을 주는 것이 아니겠는가. 이제 이 노래는 조용필 최고의 러브송 가운데 하나로 남게 될 것이다. 조용필 노래가 오래도록 들려주었던 심장의 떨림

과 울림이 이 노래로 하여 폭발적으로 다가온 셈이니까 말이다. 그
가 노래를 시작할 무렵 어디론가 떠났던 그리운 사람은 이렇게 그
의 심장 깊은 곳으로 돌아온 것이다.

위안의 미학과 그 '너머'

다시 그의 노래가 가지는 위대함으로 돌아가 보자. 조용필의 이
항구적 흡인력은 어디에서 오는가. 재차 강조하지만 그것은 그의
가창력, 무대 매너, 정확한 가사 전달력, 다양한 장르 수용 능력, 노

래마다 달라지는 해석력, 발전적 지속성 등에서 온다. 그런데 조용
필의 노래를 생각할 때마다 떠오르는 것은, 1970~80년대 대중의
인기를 얻은 가수들의 노래에서 간혹 발견되는 특별한 정치적, 상
황적 메시지가 그의 노래에는 특별히 없다는 점이다. 그는 신중현,
김민기, 송창식, 한대수, 정태춘, 하덕규 등이 들려주었던 시대적
질고에 대한 메시지를 뚜렷하게 들려주지 않았다. 하지만 우리는
이들의 노래를 다 합쳐도 없는 그 '무엇'이 조용필 노래에만 있다고
생각할 수 있다. 그는 〈한 오백 년〉이나 〈강원도 아리랑〉처럼 고전
적으로, 〈고추잠자리〉나 〈못 찾겠다 꾀꼬리〉처럼 회상적으로, 〈친구

여〉처럼 원형적으로, 〈킬리만자로의 표범〉처럼 인생론적으로, 〈꿈〉처럼 공감적으로 우리 시대를 다양하게 그려낸 탁월한 예술가이기 때문이다. 물론 〈여행을 떠나요〉처럼 신나는 노래나 〈미워 미워 미워〉나 〈그 겨울의 찻집〉 같은 사랑 노래가 조용필 인기 비밀의 근원적 저류(底流)를 형성하고 있다는 점은 말할 것도 없으리라. 나는 이모든 것을 '위안의 미학'이라고 명명하였다. 그의 노래를 통해 우리는 희열이나 분노 대신 슬픔을 통한 위안을 끝없이 얻어왔기 때문이다.

또 하나, 바로 전시대의 인기가수였던 남진이나 나훈아와 비교해볼 때, 조용필은 외관에서 그들보다 훨씬 왜소하거나 화려하지 않다는 점을 이야기할 수 있다. 당시는 전두환이라는 비정통적 빅브라더가 초국가적 지배를 하고 있을 때인지라, 사람들은 오히려 그 역상(逆像)으로서 자신들처럼 작고 평범하고 친근한 가수들을 좋아했다. 1980년대 내내 전영록, 이용, 구창모, 이명훈, 박남정, 변진섭, 신승훈, 김건모 등으로 인기가수의 계보가 이어진 측면도 이를 뒷받침한다. 그 점에서 조용필은 모두에게 '오빠'일 수 있었을 것이다. 그렇게 친근한 '오빠'가 들려준 '위안의 미학'이 50년을 흘러 여기까지 와 있다.

하지만 우리의 이야기를 여기서 멈출 수는 없다. 조용필은 위안의 미학과 그 '너머(beyond)'를 상상하고 실천해온 우리 시대의 가왕이기 때문이다. 그는 우리 시대가 마주한 여러 역사적 사건들 앞에 누구보다도 상징적인 노래들을 배치함으로써, 자신의 생애가 시대의 거인으로서의 풍모를 드러낼 수 있도록 스스로를 배려하고 또 이끌어갔다. 이는 우리가 끝내 보듬어야 할 조용필의 참된 의미일 것이다. 그는 가수의 '정점'이자 가수 '이상(以上)'이었던 것이다. 그리고 그 영원한 예술의 파문은 앞으로도 계속될 것이다.

조용필Cho, Yong-pil

1950년 3월 21일 경기 화성에서 태어났다. 경동고등학교 25회 졸업생인 그는 학창시절 음악에 푹 빠져 지냈고 이후 미8군 기타리스트 겸 가수로 출발했다. 미8군은 우리나라 대중음악의 모든 시작이 이루어진 곳이라 할 수 있다. 60~80년대의 모든 대중음악 활동의 큰 장이었다. 그는 컨트리 웨스턴 그룹 '애트킨즈'에서 활동하다가 곧 '화이브 핑거즈'를 결성해서 활동했고, 주로 미8군 무대에 올랐다. 그러다 1971년 5월 3인조 록 그룹 '김트리오'를 결성하여 활동하기 시작했다. 1972년에는 《드럼! 드럼! 드럼! 앰프키타 고고!》라는 연주앨범도 발매하였다. 이때 발표한 곡 〈Lead Me On〉은 선데이 서울컵 팝그룹 콘테스트 최우수상을 수상했다. 이후 여학생을 위한 뮤지컬 《사랑의 일기》라는 앨범에 〈님이여〉, 〈사랑의 자장가〉, 〈케사라〉, 〈하얀 모래의 꿈〉을 녹음하게 되는데 이게 사실상 조용필의 노래가 들어간 첫 앨범이다. 이 때 KBS 라디오 드라마 주제곡 〈돌아오지 않는 강〉도 녹음했다. 직후 1972년 스테레오 히트 앨범 제1집을 발매하면서 본격적으로 음반을 내는 가수로 활동하기 시작한다.

1972년 '그룹 25시'를 결성해서 활동했고, 1973년 방위병으로 소집되어 해안경비병으로 복무했다. 복무기간 중에도 퇴근 후 음악 활동을 계속하면서 1974년에는 '조용필과 그림자'라는 그룹을 결성한다.

1975년 〈돌아와요 부산항에〉를 발표하면서 이 곡과 함께 전설이 시작되었다. 당시 재일교포 고국 방문과 맞물려 발표된 이 노래는 부산에서부터 인기가 시작되어 전국적으로 퍼졌고, 조용필의 이름이 본격적으로 알려진 계기가 된다. 〈돌아와요 부산항에〉는 지금도 롯데 자이언츠의 대표 응원가로 쓰이고 있다.

1979년 지금의 그룹 '위대한 탄생'을 결성하고 1집 앨범 《창밖의 여자》를 발표하면서 본격적인 활동을 시작했다. 이 앨범은 100만장을 팔아치우는 기염을 토했고, 이후 내놓는 앨범마다 히트하면서 1980년대 최고의 히트 가수가 되었다.

국내 콘서트 최다 관객 동원 조용필의 커리어를 한 문장으로 설명하자면 70년대, 80년대, 90년대 그리고 10년대에 걸쳐 차트 1위곡 보유. LP, 테이프, CD, 음원의 시대에 이르기까지 수많은 히트곡과 한국 내 최대 콘서트 인원 동원 기록, 예술의 전당 7년 연속 공연 기록을 가진 가수다. 말이 필요 없는 한국 대중음악의 살아있는 전설. 지상파 연말 가요대상을 전관왕 4회 및 4연패 두 번을 포함해 총 11회를 수상한 진기록을 확인할 수 있다.

현존하는 우리나라 가수들 가운데 가장 영향력이 큰 인물 중 한명이자 동시에 누구도 넘볼 수 없는 가요계의 제왕. 아무도 이를 부정하지 않는다. 슈스케에서 김태우가 이승철을 가왕이라고 호칭하자 이승철 왈, "그건 용필이 형이지."라면서 스스로 부정한 것만 봐도 알 수 있다.

또한 오빠부대라는 용어를 대중화시킨 가수이기도 하다. 당시 9시 뉴스에서 조용필을 따라다니는 오빠 부대 열성팬에 대한 보도를 이례적으로 내보낼 정도였다. 이 단어의 파급력이 어마어마했는지 '오빠부대'는 표준국어대사전에 표제어로 올라 있다.

대표곡은 〈고독한 Runner〉, 〈고추잠자리〉, 〈그 겨울의 찻집〉, 〈그대 발길 머무는 곳에〉, 〈그대여〉, 〈기다리는 아픔〉, 〈꿈〉, 〈나는 너 좋아〉, 〈눈물의 파티〉, 〈내 이름은 구름이여〉, 〈단발머리〉, 〈돌아와요 부산항에〉, 〈돌아오지 않는 강〉, 〈마도요〉, 〈모나리자〉, 〈못 찾겠다 꾀꼬리〉, 〈미워 미워 미워〉, 〈미지의 세계〉, 〈바람이 전하는 말〉, 〈바람의 노래〉, 〈Bounce〉, 〈비련〉, 〈서울 서울 서울〉, 〈슬픈 미소〉, 〈슬픈 베아트리체〉, 〈어제, 오늘, 그리고〉, 〈여행을 떠나요〉, 〈이젠 그랬으면 좋겠네〉, 〈정의 마음〉, 〈창밖의 여자〉, 〈촛불〉, 〈추억 속의 재회〉, 〈친구여〉, 〈킬리만자로의 표범〉, 〈태양의 눈〉, 〈한강〉, 〈한오백년〉, 〈허공〉, 〈Hello〉, 〈Q〉 등 매우 많다.

실제로 본인도 콘서트 멘트 중 발표한 곡이 너무 많아서 다 하려면 며칠을 해야 한다고 언급한 적이 있다.

> 조용필은 조용필이라는 지도에는 없는 바다이다. 그는 달빛의 유혹에 아름답게 흐느끼거나 눈부신 햇살에 이따금 뜨겁게 절규할 뿐이다.
> ─ 구자형(작가, 방송인)

> 조용필을 왕으로 특대特待하는 명백한 이유는 "국내 대중음악 분야에서 가장 위, 꼭짓점에 위치한 인물이기 때문"이다. 그가 가왕으로 존경받는 것에는 '가수로서의 천착', 그 기본 숭배도 큰 몫을 한다. ─ 임진모(대중음악평론가)

데뷔 50년을 훌쩍 넘긴 가왕 조용필은 오늘도 국민들의 사랑을 받는 현역가수로 꾸준히 활동하고 있다. 한땀 한땀 조용필의 음악과 그 역사를 문학으로 기록한 유성호 교수의 『문학으로 읽는 조용필』은 왜 조용필이라는 이름에는 '위대한'이라는 수식어를 꼭 붙여야하는지, 그 전율적인 뮤지션의 음악 세계를 '시인 조용필'로 명명한다.